学院の帝王《アルファ》

Ayame Hanakawado
花川戸菖蒲

CHARADE BUNKO

Illustration

高峰顕

CONTENTS

四月の頭だった。

甘利《あまり》薫《かおる》は、タクシーの中から見渡す限りの白田を見て目を丸くした。東京近郊にこんな田園地帯があるとは思ってもいなかった。この白田すべてに水が張られ、苗が植えられ育ったら、本当に緑の海になるだろう。想像してほほ笑んだ薫は、ずいぶんと向こうに森のような里山のようなものを見つけた。

「直紀《なおき》、あそこ？」

隣に座っている月隠《つごもり》直紀に尋ねる。直紀は穏やかな笑みを薫に向けてうなずいた。

「そう。ここからだとでかい森にしか見えないだろ？　実際は台地なんだ。丸ごと慧総《けいそう》学院の敷地だよ」

「すごいね……どれくらい広いの？」

「東京ドームが三個入るくらいかな」

「ちょっと想像つかない。でも寮があるならそれくらいになるのかな？」

「寮のほかにもいろいろある。小さい街って感じだな。ゆっくり案内するから、薫はなんにも心配しなくていい」

「……うん」

そう言ってもらったが、寮生活など……つまり親元を離れて暮らすなど初めてのことで、なにもかもが不安だ。薫が無意識にきゅっと唇を引き締めると、シートに置いていた手を直紀が握ってきた。ハッとして直紀を見た薫に、直紀は安心させるようにうなずいて微笑を浮かべた。

「俺がいるだろ。大丈夫だ」

「うん。……そばにいてくれてありがとう……」

「俺が薫のそばにいるのは当たり前のことだろ？　ありがとうとか、変に気を遣うなよ」

「そう言われると、またありがとうって言いたくなっちゃうよ」

「……」

直紀は今度はなにも言わず、ただ深い笑みを見せてくれた。

嬉《うれ》しさと安堵《あんど》で耳を熱くした薫は、直紀とは幼なじみだ。幼稚園から小学校までずっと一緒で、勉強もスポーツも常に学年で一、二位を争っていた。ライバルであり親友であり……薫にとっては誰よりも大事な人だ。

薫は幼稚園の頃から線が細くて陶磁器人形のように優しく繊細な顔立ちだ。小さな頃はよその母親たちから、薫くんは王子様みたいだねと言われていたし、その影響か、女子からも王子様を見るような目で見られていた。それは高校に進学する今も変わらない。

一方の直紀は、正義感が強く、子供ながらに目に強い力を持っていた。生まれながらのリーダータイプで、現在は野性味のあるイケメンへと成長していた。

（本当にかっこよくなったなぁ……）

ちらりと直紀を見た薫は、またしても耳を熱くした。ふ、と直紀に微笑されて、途端に恥ずかしくなった薫は、慌ててクラスメートからの伝言を伝えた。

「あのね、白井《しらい》から伝言預かってるんだ」

「薫にわざわざ？　なんだよ、メールしてくりゃいいのに。なんだって？」

「うん、永田町《ながたちょう》で会おうぜって。意味わかる？」

「わかる」

直紀は顔を伏せてクククッと笑った。

「そんなに薫が心配なら、白井も慧総に来ればよかったのにな」

「え、白井のことも誘ったの？」

「誘ったよ。俺と白井と二人いれば、完全に薫は安全だと思ったから」

「なに言ってるんだよ、白井はすごくいい奴だけど、僕のお守《も》りのためにいるんじゃないんだから」

「お守りのためじゃない。白井は薫にとって完全に安全な奴だから、そばにいてほしかっただけだよ」

「……」

「けど白井にとっては、慧総から帝国《ていこく》大に進むより、あのまま志青《しせい》の大学に進んだほうが、将来的にうま味があるってことだったから諦めたんだ」

「そうなんだ？　白井のお父さんも志青を出てるの？」

「らしいよ」

軽い口調で言ったが、直紀の口元には皮肉な笑いが浮かんでいる。詳しく聞いても楽しい理由じゃなさそう、と思った薫は、ふうん、と答えて視線を前に向けた。

タクシーが慧総学院の外門前で停《と》まった。直紀に促されて車を降りた薫は、セレブの豪邸で見るような、優美で大きな外門を見て、はあ、と感心の息をこぼしてしまった。門の上部には剣先がずらりと取りつけられていて、同じように剣先のある高い縦格子の柵が、学院の敷地である台地を囲って建てられている。

「ゲーテッドコミュニティみたいだね……」

威圧を感じて薫が小声で言うと、直紀が袖門へ薫を誘導しながら答えた。

「言うならゲーテッドビレッジだな。外へ出なくてもいいように、生活に必要なものは全部中にあるから」

「へー、すごいね」

「門や柵だけじゃなく、学院の外周の森には人感センサーも設置されてる。侵入者を防ぐのが一番の理由だけど、中の人間を外に出さないためという意味もある」

「なにそれ……どういうこと、ちょっと怖い……」

「心配ない。言っただろう、俺がいれば安心だって。薫は慧総にいる限り、絶対に安全だ」

「うん……」

なぜそう言い切れるのかわからないし、生徒を外に出さないという言葉の意味もわからなくて怖い。けれど生まれた時からずっと一緒にいる直紀がそばにいてくれるなら、どんな環境だろうとやっていけるはずだと思った。

生徒一人一人に支給されているＩＤカードを、袖門脇の詰め所にいた警備員に見せて中へ通してもらう。初めて慧総学院の敷地内に入った薫は、わあ、と小さな歓声を洩《も》らした。

「すっごい綺麗《きれい》だね、桜並木」

長く続く緩い坂の両脇にずっと桜が植えられていた。しかもそれが、ちょうど満開を過ぎたところなのか、風が吹くと一斉に花びらを落として、まるで観光地のＣＭのように美しい。直紀が言う。

「うちは寮生活に馴《な》れるためもあって、入学式が早いんだ。ちょうど入学式の頃に見頃を迎えるんだよ」

「いいねぇ。ふつうはだいたい、入学式の頃って桜は散ってるもんね」

「温暖化の影響もあるんじゃないか？　昔はきっと入学式の頃に満開だったんだろう。薫、荷物貸して」

「いいよ、自分で持つから」

「いいから」

薫の手から強引に小ぶりのボストンバッグを引き取った直紀は、ゆっくりと桜並木の下を歩きながら言った。

「緩い坂に見えるけど、長いだろう。上り続けてるときつくなるから。保護者が一緒ならタクシーで内門まで行けるんだけどなぁ」

「……ごめんね、気を遣わせて……」

「だからさ、謝るなって。本当は薫の家まで迎えに行きたかったんだから。それなのに一人で行けるとか強がるから」

「強がってないよ、電車くらい一人で乗れるって」

思わず笑ってしまった。昔から直紀は薫に対して過保護だが、まさか一人で電車にも乗れないと思われているとは思わなかった。いつまで子供の頃のつもりでいるんだと思って笑っていると、ふいに頭を撫《な》でられた。だからなんで子供扱い、と思いながら直紀を見た薫は、あ、と思った。

（それもそうか……。直紀からしたら、僕はずいぶん小さいから）

直紀が標準より大きく、薫が標準よりだいぶ小さいために、身長だけでも頭一つ分違う。

当然体つきだって直紀はがっしりしていて、見るからに若い雄という感じだ。

（体格でも、アルファとオメガはこんなに差がつくんだな……）

薫は視線を前に向けてため息を呑《の》み込んだ。小学校までは勉強もスポーツも二人でトップを独占していた。親友だしライバルだった。

（それなのに、二次性徴を迎えたらここまで変わるんだもんな……）

薫の外見は男だが、オメガだから二次性徴で女性ホルモンが優勢になる。だから男のように骨も筋肉も発達しない。おまけに発情を回避するために、さらに女性ホルモンを摂取している。これでは身長が伸びるわけがない。頭では理解しているけれど、もうスポーツでは直紀とライバルでいられなくなったのだと思うと、対等に見てもらえないのではないかという不安が萌《きざ》す。こんな自分が直紀に告白するのはおこがましいのではないか……。

「薫？」

無意識にうつむいていた薫に、直紀が心配そうに声をかけてくる。薫は慌てて顔を上げた。

「えっと、なに？」

「不安なことがあるなら全部俺に言ってくれ。薫を守るって言っただろう？　どんな小さな不安も取り除いておきたい」

「ありがとう。でも不安とかじゃないんだ。あ、もちろん、寮生活は初めてだからそういう不安はあるけどね」

「……二十四時間、薫と一緒のほうがいいのかな……」

「いや、待って、それは甘やかしすぎ」

薫は苦笑してしまった。二十四時間そばにいるなんて、それではナニーではないか。過保護なんてものではない。薫が笑いながらそう言うと、瞳を和ませた直紀が、思わずといった具合に呟《つぶや》いた。

「よかった、笑ってくれて。……綺麗だな」

「うん？」

「チビの頃から可愛《かわい》いと思ってたけど、そうやってさ、桜が散る中にいる薫は、本当に綺麗だ」

「えっと……」

「三年離れてる間に、可愛い雛《ひな》が白鳥になってたって気分だよ。また薫が俺の隣に戻ってきてよかった」

「白鳥とか……」

薫はたやすく顔を赤らめた。

「その、僕も直紀のそばに、いたいよ……」

「もう絶対、離さない。俺、本当に頑張ってよかった。薫を慧総に呼べてよかった」

「直紀の推薦があったから編入できたんだもんね。ありがとう」

「礼なんかいらないよ」

直紀はほほ笑み、薫の髪からそっと花びらを摘《つ》まみ取って言った。

「俺が推薦したから慧総に編入できたわけじゃない。学院が求める学力水準に達していない奴は、推薦があっても入学できないからな。編入できたのは薫に実力があったからだよ」

「だけど推薦がないと編入試験も受けられないでしょ？　慧総は高校からの生徒は募集してないし」

「まあそうだけどさ。編入試験の結果見て、学院長は満面の笑みを浮かべてて笑っちゃったよ。さすが月隠くんのお友達だとか愛想のいいこと言ってさ」

「ちょっと、学院長相手に愛想とか。それに直紀、僕のテストの結果見たの？　なんでそんなことできるの？」

「そりゃあ推薦人だし、入学以来、学年トップ独走してる俺だから」

直紀はにっこりと明るい笑顔で言ったが、それが巧妙な作り笑いであることを、兄弟同然に育った薫はわかる。

（どういうことなんだろう……。ここでの生活が落ち着いたら、一度ゆっくり話をしよう）

慧総に編入することは急に決めたことだし、準備でバタバタしていたから、学院のあれこれを薫はまだよく知らない。

外門から続く坂を上り切ると、大きなケヤキを真ん中に植えた広い車回しが現れた。父兄はここまで車で入れるということだから、そのために広い車回しが必要なのだろう。そこを突っ切って行くと内門に着く。外門同様とても優美なデザインだが、外門とは違って門から続く柵がない。ということは、ここから校内だという、ただの目印の役目なのだろう。そう尋ねると、直紀はフンと鼻で笑った。

「見えないだけで、柵はあるよ」

「え？」

「ぐるっとセンサーが設置されてるんだ。それくらいしないと脱走する奴がいるからさ」

「……」

脱走したくなるようなことでもあるのだろうか。薫が緊張した表情を見せると、大丈夫だよ、と直紀は笑った。

「薫は俺が守るって言ってるだろう。どこにいるよりも慧総にいれば薫は安全だ。さあ、中を案内するよ」

「うん……」

守る、守ると言われるとよけいに不安が増す。薫は緊張したまま校内に足を踏み入れたが、すぐに目を丸くした。

「なにあれ……すごい……」

門のちょうど正面、芝生の前庭越しに、ノルマン建築様式の壮麗な建物がそびえていた。ヨーロッパの観光地にでも来たかと錯覚してしまうほどだ。驚く薫に直紀が言った。

「あれは事務棟。見た目はあれだけど、中はふつうだよ。事務室や理事や教職員関係の部屋が集めてあるんだ。生徒にはほぼ関係ない」

「事務棟？　それにしては大きすぎない？」

「教職員用の部屋もあそこに入ってるんだ。下層が事務室で、上はマンションみたいなもの。生徒だけじゃなく教職員も外に出ないからさ」

「徹底してるね……」

「生徒に外出禁止を強いてるのに教職員は自由に外に出てたら、生徒の不満が溜《た》まるだろう？　もっとも教師の居住エリアにはカラオケとかバーとか、いろんな遊興設備があるんじゃないかって噂《うわさ》だけどね」

「すごいねぇ……」

「あそこで入寮手続き取ったら、校舎とか案内する」

ほとんど観光客の気分で事務棟の中に入ると、直紀の言ったとおり、内部はふつうの学校の事務棟と同じだった。落差にがっかりしながら手続きを終える。事務室にいる職員が、みんなしてチラチラと薫を見たが、編入生がめずらしいのだろうと思った。

　事務棟の裏口から出て、薫は感心の息をこぼした。まるで公園のようだった。地面は芝で覆われていて、大きな木がたくさん植えられている。その木々の間を石畳の小道が巡っているのだ。樹木越しに二つの塔を備えたロマネスク様式の建物が見えた。

「あれは教会？　え、でも、慧総ってキリスト教系じゃないよね？」

「宗教系の学校じゃないよ。あれは食堂棟」

「あれが食堂なの⁉」

「あそこも中はふつうだから安心して。一年から六年まで、全員があそこで食事するから巨大なんだ。コンビニもあそこにある。雑誌も扱ってるから、定期購読したい雑誌はコンビニで頼んで」

「コンビニまであるんだ……」

　啞然《あぜん》としながらも構内を案内してもらう。事務棟、食堂と続いて図書館もロマネスク様式の壮麗なものだった。体育館だけは現代のかまぼこ形だったが、石を貼《は》ったような外壁材が用いられているので、まるでワイン倉のように見える。圧倒されながら最後に寮棟に到着して、薫は驚きと呆《あき》れが混ざったため息をこぼした。

「寮はチューダー様式なのか……。なんていうか、魔法映画のセットの中にいる気分になるね……」

「本来の意味でのエリートを育てるって言うのが慧総の教育方針だからな。ドイツやイギリスの私立全寮制校をモデルにしてるんだ」

「だからって建物まで真似《まね》する？」

「作り込んだ中世ヨーロッパの街に生徒を閉じ込めておくのは、まあ洗脳には有効なんだと思うよ。ここは特別な場所なんだってさ」

「洗脳とか、怖いって……」

「ああ、ごめん。薫を怖がらせたら元も子もない」

　直紀はまたしても作り笑いを浮かべて言い直した。

「連帯感、一体感を醸成しやすいってこと。六年間、この特異な環境で暮らしていると、慧総民っていう意識が植えつけられる。それは社会に出てから強力な強みになるんだ」

「社会に出てからって、もうそんなことまで考えてるの？」

「ここには帝国大を目指している奴ばかりが入ってくるだろ。帝国大に落ちても私学のトップクラスの大学には合格する。で、卒業したら、いわゆるいい職場に入る。いい職場にはもれなく慧総の同窓生がいる。わかるだろ？」

「ああ、なるほどねぇ……」

　大学閥だけではなく慧総閥もある。それはもう、人脈には事欠かないだろう。

「僕は内科医になって父さんの跡を継ぎたいと思ってるけど、それは無理だからさ。慧総生としての絆《きずな》？　は、あんまり関係ないかな……」

「そんなことない」

　強い口調で直紀は言った。

「薫はちゃんと医師になれるし、医師として活躍できる。なれないなんて言うなよ」

「……」

「薫は俺のかかりつけ医になるって、小学校の時約束しただろ。薫が医者にならないなら、俺、病気になっても医者にかからない」

「ちょっとそれ、どういう脅しだよ」

　さすがに微苦笑した薫に、直紀は真剣な表情で言った。

「脅しじゃない。俺の主治医は薫って決めてるんだ。だから医者になってくれ。薫の夢をちゃんと叶《かな》えてくれ」

「……医師免許は取るつもりだよ。勉強くらい頑張らないと、直紀と並んで歩けないしね」

「勉強くらいって、そんな言い方するなよ。べつにスポーツできなくたって、薫は俺にとって一番大事な奴で、俺の隣にいるのは薫だけって決めてるんだ。変なふうに自分を卑下するな」

「……うん」

一番大事な奴……今でも直紀にそう言ってもらって、薫の耳が熱くなる。

（僕がオメガだってわかっても、直紀は全然変わらない……ていうか、前より過保護になってる）

本当に一番大事な奴と思ってくれているのなら、告白してもいいのだろうか……。薫はそんなことを考えて、われ知らず頬を赤くした。

のんびりと歩きながらようやく寮のある区画にやってきた。寮は全部で六棟ある。その真ん中の棟に向かいながら薫は尋ねた。

「もしかして一学年ごとに寮棟が分かれてるの？」

「そう。食堂から一番遠いのが一年で、一番近いのが六年。歳《とし》取るごとに食堂に近くなるわけ」

「歳取るって」

「ピチピチ一年と、だりーが口癖の六年だぞ。歳の差実感するから。で、ここまでの各棟の距離感、頭に入ったか？」

「え、距離感？　どうして？」

「相変わらずおっとりしてるんだな」

直紀は微苦笑をして言った。

「ここから食堂までふつうに歩いて十分かかる。把握してなかったろ」

「そんなにかかったっけ?」

「かかるんだ。たかが十分、されど十分。朝食時間に間に合わなかったら食いっぱぐれることになる。だから薫は余裕を持って起床するんだぞ。寝坊したから走って食堂行くとか、絶対駄目」

「あ、うん」

「その十分がきついようなら、その時は六年の寮棟に部屋用意するから。あそこからなら数分で食堂まで行けるし」

「なに言ってるんだよ、六年生の寮棟に僕の部屋なんて用意できるわけないでしょ?」

「できるよ。俺なら」

「直紀ならできるって……、なんで?」

「言ったろ、薫は俺が守るって。慧総にいる限り、薫は安全だ」

「どうしてそう言い切れるの?」

「俺は学院の王だから。薫を守るために、俺は慧総の王になったんだ」

ふざけた口調でそう言って、直紀は屈託のない笑みを浮かべた。けれど笑顔と言葉の不気味さがまったく合っていない。

(優しくて過保護で、直紀は直紀なのに……学院の王ってなに? 変な冗談……?)

なにかが変だ。違和感が拭えない。生徒を脱走させないとか、洗脳とか、慧総学院に関することで、直紀は怖い言葉を何度も使っていた。そしてしつこいくらいに薫を守ると言う。

（僕が慧総に編入したのがいけなかった……？　僕のせいで直紀になにかがあった……？）

慧総学院に編入したことは間違っていたのではないか……。穏やかな笑みを浮かべる直紀を見つめ、薫は理由もわからず後悔した。

薫が直紀と知り合ったのは、志青学館の幼稚園に入園した時だ。

二人の実家は同じ町内にあって、大人の足で十分ほどの距離だ。薫の実家は代々内科医で、かかりつけ医として地域の人々に親しまれていたし、信頼もされている。だから親同士は薫たちが生まれる前からの知り合いだが、あいにく甘利医院に小児科はなかったので、薫が直紀と、また直紀が薫と、顔を合わせることはなかった。幼稚園で出会ってからは、家の近所で同じ幼稚園に通っているのは二人だけだったこともあって、毎日互いの家を行き来して遊んだ。それは小学校に上がってからも同様だった。

志青学館は幼稚園から大学までエスカレーターで進める一貫校だ。だから薫はこのまま二人で大学まで一緒に進むものだと思っていたし、おそらく直紀もそう思っていたはずだ。だが、二人が小学六年に上がる寸前の春休みのことだった。直紀の家でゲームをしていた時、直紀からぽつりと、実は中学は外部を受験すると言われた。ずっと一緒だと思っていた薫はショックで、ちょっと言葉が出なかった。

「なんで……？」

やっとそれだけを口にした薫に、直紀は真面目な表情で答えた。

「大学、帝国大に行きたいんだ。だから帝国大の合格率が高い慧総に行くことにしたんだ」

「そうか……。志青からだとたしかに帝国大は難しいもんね……」

「俺のお父さんは、志青でも帝国でもいいって言ったんだけど、お父さんの後を継ぐつもりなら帝国大のほうが有利だろうって」

「直紀のお父さん、銀行やってるんだよね？」

「うん、銀行やってる」

「だよね……」

小学生だった薫は級友たちと、うちは病院やってるとかうちは会社やってると話していたから、同じ意味で、銀行やってるという言葉を受け止めた。銀行を継ぐなら志青よりも慧総のほうがいいのか、と思った薫は、自分だって父親の跡を継ぐなら志青の医学部が一番いいとわかっているから、直紀の進路も尊重しなくてはならないと納得した。

「慧総かぁ。直紀なら合格すると思うけど、頑張ってね」

「うん。……だから、六年から塾のコース、薫と分かれる……」

「え……、そう、か……」

塾まで？　と薫はさらにショックを受けた。クラスが分かれるなら通塾する日も変わる。

直紀とは学校でしか会えなくなる。想像しただけで寂しい。しかも。

「……慧総って全寮制なんだよね？　そしたらもう、会えなくなるね……」

「そんなわけないだろ」

直紀はちょっと怒った口調で言った。

「隣の県なんだから、遠くってほどじゃないよ。それに休みごとに帰ってくるし。会えなくなるわけじゃない」

「そうだけどさ……」

「俺たち最強の親友じゃん。学校が違ってもそれは変わらないじゃん」

「本当？　本当の本当にずっと最強？」

「本当だよ。もちろん、慧総行ったら新しい友達できると思うけど、一番は薫だよ。ずっとずーっと薫が一番。これ絶対だから。信じて」

「うん。僕も直紀が一番大切だよ。ずっと直紀が一番だからね」

「じゃ指切りしよう。小指だけじゃ一番の約束に足りないから、五本全部でなっ」

「全部の指で指切りって、どうやるの？」

試行錯誤した結果、ちょっとひねった恋人握りになってしまった。もちろん二人とも、それが恋人握りだとは認識していない。

「薫が一番、だーい好きっ」

「直紀が一番、大好き」

そう言い交わして指を切った。すごく重大な約束をしたのだと思って、薫の心臓はドキドキした。

そうして直紀は卒業式の翌日には慧総の寮に移っていった。半身をなくしたような喪失感を抱えた薫は、さらに進学前に義務づけられている検査で自分がオメガだと知って動揺した。性差による差別は人権侵害だから法律で禁止されている、と塾でも小学校でも習っている。けれど現実の社会ではそれは建前で、オメガへの差別や偏見が充満していることを、小学校を卒業したばかりの薫だって知っている。

（どうしよう、どうしよう直紀……）

素直に怖いと思った。薫の父方も母方も医師ばかりの医師一族だから、性差に偏見はない。内科医である父親からも、オメガとはどういう状態で、きちんと女性ホルモンを補充して体調管理をすれば、なにも問題なく生活できるのだと説明を受けた。それでも薫は不安だった。

直紀に蔑《さげす》まれるのではないか――。

それが理由だ。

（直紀はたぶん……、ううん、きっと、アルファだよね……）

直紀は薫を最強の親友って言ってくれたし、ずっとずっと薫のことが一番好きだって言ってくれた。なによりも直紀は正義感が強い。どんな差別も……たとえば選民意識の強いアルファが肉体的なハンディを持つオメガを軽蔑するような、そんなことは決してしないとわかっている。

「だけど、だけど……、実際に、僕が、オメガだって知ったら……、親友、やめちゃうんじゃないか……」

それどころか嫌われるかもしれない。

直紀を信じていないわけではない。それでも、差別や偏見は、その対象とされるものが現実に自分の前に現れた時に初めて、本当の自分の心情に気づくものだと思う。

「……」

薫は唇を噛《か》むと、黙っていよう、と思った。直紀には、自分がオメガだということは黙っていよう。父親と二人三脚で完璧に体調をコントロールしていけば、オメガだということは知られずにすむはずだ。そうすれば直紀とずっと親友でいられる……。

「打ち明けないだけで、嘘《うそ》をつくわけじゃないし……」

自分に言い訳をして、薫は重たいため息をこぼした。


鬱々とした気分を抱えたまま、中等部の入学式を迎えた。

式を終えて教室に戻った薫は、さらりと教室内を見回して、このクラスの外部生は六人だと確認した。

（声かけて、早く馴染《なじ》めるようにしてあげないと）

そう思うものの行動がついていかなくて、机について小さなため息をこぼした。その時、

「お疲れちゃーん」

ふらりとそばに来た白井が、なんとものんびりとした声をかけてきた。白井も幼稚園からの友人で、日本人とヤパンのハーフと自分で言って笑いを取るくらい、色素が薄い。薫が幼稚園の頃から揺るがぬ王子様ポジション、直紀は名実ともにリーダータイプ、勉強もスポーツも一、二位を争っていたのに親友という、突出して目立つ二人だったこともあるし、白井は白井で級友とつるむことより一人で行動することを好む選択ボッチだったから、みんな白井には注目していないが、実は成績は不動の三位だ。

薄いニコニコとしかいいようのない、これまた独特な笑みを浮かべる白井に、薫は、ん？　という表情を向けた。

「なにがお疲れ？」

「新入生代表、誓いの言葉」

「ああ」

　薫は苦笑した。

「直紀がいれば直紀がやったんだけどね」

「またまた。どっちがトップの点数取るかなんてわからんでしょ」

「いやー、直紀だと思うよ。僕、数学ね、終了の声がかかった瞬間に、一問計算間違いしてることに気づいたんだ。直紀ならそういうミスはしないから、直紀がいたら絶対トップは直紀だったよ」

　新入生代表の挨拶は、外部受験生を含めてトップの点数を取った者が代表になる。白井はにっこりと笑った。

「その月隠がいないんだから、三年間、甘利がトップ独占だな」

「白井がトップ取ればいいよ。僕、白井が手を抜いてるの知ってるよ」

「いやいや、抜いてない抜いてない、三位が俺の実力よ」

　白井はニヤニヤしながらそう言うが、塾で行われる全国テストで、まれに白井に順位を抜かれることもある。薫は微苦笑をして尋ねた。

「じゃあこれからは二位に抑えるの？」

「あー、月隠がいなくなったからなぁ。甘利と月隠でワンツー押さえてくれてたから、三位を取るのが楽だったんだ」

「だからトップを取りなよ。なんで取らないの」

「目だちたくない」

白井は素っ気なく言った。不動の三位というだけで目だちそうなものだが、薫と直紀の極目だちコンビが上にいたし、なにより白井は選択ボッチだから級友と積極的に関わらない。そのせいで級友たちも話題にしなかったから、目だたないという結果になっている。

白井は机の横に突っ立ったまま言った。

「甘利が新入生代表やったから、これから三年間、また甘利のトップ独走って周知されちゃったな」

「たまたま入試はトップだっただけだよ」

薫は苦笑した。

「ふつうに考えて外部から入ってきた人のほうが優秀でしょ？　内部生は下駄履かせてもらってるようなものだし」

「下駄が威力を発揮するのは中位以下だろう。腐っても志青学館だぞ。塾の統一テストで百位までの三分の一はうちの児童が占めてたよ」

「そんなのチェックしてたの……」

　薫は自分の前後と直紀の順位しか見ていなかったから苦笑してしまった。

「まあやれる努力はするけどね。なにしろ直紀、慧総でもトップ取るって宣言したから。僕も頑張らないと軽蔑されそうで怖い」

「月隠は甘利の成績のよさに惚《ほ》れてるんじゃないよ」

「ん？」

「それにしても月隠らしい宣言だな。慧総なら月隠レベルは何人もいるだろう？　あそこでトップ取るのは並大抵の努力じゃない。将来が楽しみ」

「将来って……、直紀はお父さんと同じ、銀行員になるみたいだよ？」

「甘利にそう言ったのか」

「いや、言ったっていうか、お父さんの跡を継ぐって言ってたから」

「なるほど」

　白井は薄い笑みを浮かべてうなずいた。なんだろうなと思うが、友人の親の職業についてあれこれ言うのは品がない。薫がさらりと話題を受け流すと、白井は満足そうにうなずいた。

「甘利。月隠いないからって、月隠の分まで頑張ろうとするなよ。甘利のよさはフォローにあるんだ」

「直紀の代わりなんかしないって。ていうかできないよ」

「そう、甘利はそれでいい。俺の考えだと、月隠の腰巾着数人が、月隠の代わりに甘利を甘やかすはずだ。ま、甘利を甘やかしたところで、彼らの成績上がるわけでも学年のリーダーになれるわけでもないんだけどな。甘利はそれに乗ってればいいさ」

「ないよ、そんなこと。直紀が僕に過保護なのは、家が近所だからいつも一緒にいたし、リーダー特性がお兄ちゃんぶるって方向に出てるだけだよ」

「ああ、われらの王子様、おっとりのんびり、ナイトの気持ちに鈍感。……駄目だ、音も韻もリズムも壊滅的。作り直す」

「作り直さなくていいって」

　白井が真面目な表情で言うものだから、思わず声を立てて笑ってしまった。白井はムフッと言う感じに笑って言った。

「一応本当に笑えるわけだな」

「……ん？」

「甘利のことだから、クラスメートの手前、無理して平気な顔を作ってくるだろうと思ってた。俺にまで作り笑いしたら重症だと思ってたわけよ」

「……心配してくれたんだ。ありがとう」

「いやいや、礼には及ばない。月隠から甘利になにかあったら頼むって言われてるけど、それとはべつに、俺は甘利を気に入ってるから」

「え？　直紀、白井にそんなこと言ったの？　もー、ホント僕のこと子供扱いするんだよなぁ。気にしないでいいよ、自分のことは自分でできるからさ」

本当に直紀はもう、と思って薫は小さなため息をついた。

そんなふうに中学生活の初日を迎えた薫は、一ヶ月後には白井の予想が当たったことに驚いていた。小学校の時、直紀を取り巻いていた数人が、なにかというと薫と行動を共にし、口うるさい母親かと思うほどあれこれと言ってくるようになった。直紀ごっこもそのうち飽きるだろうと思って、なにも言わずに大きなお世話を焼かれていた薫に、白井一人がニヤニヤしながら、奴らは月隠ポジションがほしいだけだ、信じるなよと言った。


そうして何事もなく一年が過ぎた。

直紀からはひと月に一回、近況を知らせる手紙が届いたが、長期休暇でも地元へ帰ってくることはなかった。

「休みになったら戻ってくるって言ってたくせに……」

慧総学院がよほど楽しいのだろうか。

そう思うと慧総の生徒に嫉妬したし、会いに来てもくれない直紀に怒りも抱いた。離れていても親友だと思ってくれているのだろうか？　薫は直紀に会いたいのに、直紀はそうじゃない？

「直紀は僕に会いたくないのかな？　なんか……僕ばっかり直紀のこと好きで悔しい」

薫はちょっと口をとがらせて登校した。今日は二年生の体力測定の日だ。志青学館は都内にあるということもあってグラウンドが狭いので、各学年ごとに日にちをずらして測定している。

午前中に体育館での測定を終えた薫は、あれ、とわずかな不安を覚えた。

（僕、成長が遅い……？）

気がつけばみんな薫より背が高くなっている。多分まだ成長期が来ていないだけだと自分に言い聞かせて、午後の測定に臨んだ。けれど身長の差が運動能力に如実に反映されて、遠投も幅跳びも、スポーツ万能だった薫とは思えないくらいの数値しか出せなかった。

（ちょっとこれ、恥ずかしいな……）

直紀とともにずっとトップを独占してきた薫は、平均値にも届かない自分の結果が恥ずかしかった。とはいえ自分に対して恥ずかしいと思っているので、級友たちの視線など気にしていない。気にしたのは、クラスを外側から眺めることが趣味の白井だった。数種目にしろ平均以下の数値を出した薫に、級友の何人かがほくそ笑みを浮かべたのを見たのだ。

白井はふらりと薫に近寄った。

「甘利。次の持久走、サボれ」

「なんで？　僕、持久走、好きだよ」

「好き嫌いの問題じゃない。俺の杞憂《きゆう》に終わればいいが、そうじゃなかったらヤバいことになる。サボれ」

「サボる理由がないよ」

「お父さんに電話して、見学させるように言ってもらえ」

「だからどうして？　ベストを尽くした結果なら、タイムが悪くても僕は気にしないよ」

「……どうしても走るって言うなら、俺も一緒に走る。サボろうと思ってたのになぁ」

「今日サボっても、後日一人で走らされるよ。今日すませたほうがいいって」

「だから走るよ。本気で走るのなんて小三以来だよ、まったく……」

「僕に合わせるつもりならやめといたほうがいいよ。自分のペースで走らないとつらいからね」

「俺につらい思いをさせたくないなら、持久走はサボってくれ」

「あ、集合かかった。頑張ろうね、白井」

「頑張らないでくれ、頼むから」

「頼むって……」

　ふざけないで、と言おうとしたが、白井があんまり真剣な表情をしているので薫は言葉を呑み込んだ。

（なにを心配してるんだろう……）

タイムが悪くなることくらいわかっている。本当に気にしないんだけどな、と思いながら、教師の合図で走り始めた。

そしてそれは起こった。

グラウンドを三周走ったあたりだった。

（え……）

ドクン、と一つ鼓動が跳ねた。脈が乱れ、不整脈が起きたのかと思った次には、まるで血液が凍ってしまったように全身が冷えた。

（脳貧血……？）

マズいなと冷静に思ったはずだが、いきなり立ち止まるという、まったく冷静さに欠けた行動を取ってしまった。すぐ後ろを走っていた白井が、甘利？　と心配そうな声をかけてくる。

「貧血かも……」

そう言った時には、今度は逆に全身が熱くなり汗が噴き出した。脈も呼吸も乱れているのに、視界だけは異様にクリアだ。

「白井、苦しい……」

「やっぱそうか、ヤバいっ」

白井が緊張した声で言い、ガッと薫の腕を掴《つか》んだ。こっち来い、と言われてグラウンドの端へ引きずられた薫は、一歩を踏み出した途端、自分の異変がなぜなのか悟った。

（濡《ぬ》れ、てる……）

尻の間がヌルヌルとしている。それが歩くたびにあふれ、このままでは下着が粗相でもしたように濡れてしまうだろう。それだけならいいが、ハーフパンツにまで染みてきたらと思うと、羞恥と恐怖で歩けなくなってしまった。

思わずしゃがみ込んでしまった薫に、白井が叱咤するように言う。

「甘利、歩けっ。早くここから避難しないとっ」

「無理……歩けない……」

「歩けっ！　ここにいたら襲われるぞっ」

「……!?」

襲われる……？

ハッとしてグラウンドを振り返ってみると、各種測定をしていた生徒はおろか、教師までもがなにかを探すようにあたりを見回している。声のないざわめきとでもいうような、不穏な空気が濃密に漂っていた。薫の前後を走っていた級友は、足を止めて薫を凝視している。その目が怖い。ふだんの級友たちとはとても思えない、ギラついた目。子供の頃テレビで見た、獲物を見つけた肉食獣の目。あるいは、群れの中にたった一人紛れた雌を、自分のものにしようとする雄の目。

（みんな、僕を……）

悟った。薫を犯したいのだ。精液をぶち込み孕《はら》ませたい。自分の子孫を残したい。本能だ。本能がむき出しになっている。

「あ……」

ぞくりと体にふるえが走った。嫌悪でも恐怖でもなく、優越感からだ。みんなが自分を欲しがっているという、血が沸くような特別感。競え雄どもと本能が言う。最も強く、最も優れた雄にだけ、この体を与えてやる。誰にも下に見られることはない、虚弱ではなく能力にも優れた、雄どもの上に立つオメガを産み出したい。さあ、最も優秀な雄は誰だ。たぎる生命力をよこせ……。

その途端、腹の奥が熱くなった。雄をくわえ込むあの場所で、経験したことのないうずきが起きた。とろりと、熱いものがさらにあふれてきた。

「いや、いやだ……っ、直紀……っ」

身体は本能に支配されているが、薫は激しい嫌悪を抱いた。発情《ヒート》した薫のフェロモンにたやすく囚《とら》われ、いともたやすく理性を手放した雄たち……級友に犯されるなど、想像しただけで怖気《おぞけ》が立つ。本能は強い雄に体を与えろと囁《ささや》くが、絶対にそれは違うと薫は思う。

（恋してっ、愛してっ、心を一つに溶け合わせたいと思って……っ）

そう思える相手となら、体を重ねることができると思うのだ。

「直紀じゃなくちゃいやだ……っ」

ほんの小声だったが、無意識に口走っていた。耳ざとく聞いた白井が、小さく舌打ちをすると薫の肩を抱き寄せた。

「今から十五分、俺が月隠の代わりになる。……しっかりしろっ、歩け薫っ」

「……っ」

「こっち来いっ。セルインは⁉」

セルイン……セルフインジェクション。ヒートを抑制する自己注射型の薬のことだ。薫は白井に抱えられるようにして歩きながら答えた。

「教室……ジャケットの内ポケット……」

「保健室のほうが近いな。グラウンド突っ切る。頑張れ」

「……ごめ……」

「今はそんなことといい。歩け」

白井はグラウンドの真ん中を校舎へ向かって最短距離で突っ切る。今や薫の近くの生徒だけではなく、グラウンド中の生徒も、校舎の窓からも生徒たちが薫に欲望で光る目を向けている。薫のそばにいた生徒たちが怒りの形相で近寄ってきた。

「極上のオメガを独り占めする気かっ」

極上のオメガ。まさに獲物に投げかける言葉だ。それなのに体は欲望をぶつけられることに喜び、ますます火照り、下着で抑えきれずに内腿《うちもも》まで濡らしている。薫の目から涙があふれた。白井は自分の背中に薫をかばうと、獰猛《どうもう》な表情で手を伸ばしてくるクラスメートに低く言った。

「甘利に手を出したら、俺と月隠でおまえらの将来を潰《つぶ》す」

「……っ」

いつもの白井らしからぬ冷たい声だった。級友たちはその言葉に怯《ひる》み、足を止めて薫と白井を交互に見た。獲物は欲しいがライオンが怖いハゲタカのようだ。白井はふるえと発汗のひどい薫を抱き支えると、異変に気づいて出てきた養護教諭とともに薫を保健室に運び込んだ。

「メモリはいくつ？」

白井が薫をベッドに寝かせる間に、養護教諭が鍵のかかった箱からセルインを取り出し、投与量を聞く。テキパキと処置を施してくれた教諭は、白井に目配せをして保健室を出て行く。白井がすかさずドアに鍵をかけた。

「これで落ち着くまで安全だ」

いつものんびりとした口調で白井が言う。薫は初めて経験したヒートの激烈な反応や、級友たちの急変、それをもたらしたのは自分自身だという事実に怯《おび》え、止まらない涙を何度も拭って礼を言った。

「白井、ありがと……」

「いや。薬効くまで安静に」

薫は深呼吸を繰り返し、涙と感情の高ぶりをゆっくりと静めると、ふ、と小さく息をついた。薬棚をつぶさに見ている白井に尋ねる。

「……持久走サボれって言ったのは、こうなる予感がしたから……？」

「予感というか、予想だね。小学校を卒業するまで、甘利と月隠は体格に差はなかっただろう。なのに成長期に入ったら、甘利は縦も横も重さも男の平均に届かない、どころかほとんど女子と変わらない。それはまあ、そういうことだろうと」

「そっか……」

「今まで完璧に体調管理をしてきたみたいだし、体育の授業も平気だったろ。でも持久走みたいに体に高い負荷がかかるのはマズいんじゃないかと思ったわけ」

「杞憂に終わればいいって言ってたもんね……」

「でもこれで、甘利はヒートするきっかけがわかったわけだから、これからは気をつければいいだろ。問題はないよ。俺がいるし」

「……本当にありがとう。ごめんね、世話をかけて」

「いや、甘利には好きで親切にしてるんだ。謝罪はいらない。ところで月隠には言ってあるのか」

「……僕がオメガだってこと？　……言ってないよ……」

「ヒートしたのは初めて？」

「うん……」

「中二で初めてか。甘利の親は医者だよな？　やっぱり体調管理が万全だったんだな。持久走さえパスしてりゃなぁ……」

「……」

　薫自身よりも薫のことを理解しているような白井に返す言葉もない。うつむくと、白井がのんびりと爆弾発言をした。

「で、月隠とはいつから付き合ってたんだ？」

「……は？　付き合ってないよっ」

「それなら甘利としては片思いなのか」

「僕としてはって……」

「さっき月隠のこと呼んでたからさ。あれ、無意識だったのか」

「……」

　白井に指摘された薫の顔が、じわじわと赤く染まっていった。落ち着いた今、思い返してみると、たしかにあの混乱の最中、自分は直紀に助けを求めていた。いや、それ以上に……。

（直紀じゃないと、いやだって……）

　薫の顔はいよいよ赤くなった。心の中だけで言っていたのか、口に出してしまったのか覚えていないが、そういうことは直紀とだけしたいと思ったのだ。

「オッケー、把握」

　無言で大赤面する薫を見て、白井はふふっと笑ってベッドに腰掛けた。

「甘利の気持ちを知ったら月隠は小躍りするだろうね」

「……っ、本当に⁉」

　思わず身を乗り出して聞くと、白井はにやりと笑った。

「真実は自分で確かめろよ。それとも俺に聞いてほしいとか？」

「そ、そういうわけじゃ……っ」

「まあ甘利自身のことはいいとしてだ。明日から周りが甘利を見る目が変わるはずだから、それは覚悟しておいたほうがいいよ」

「……わかってる」

　甘い気分が急速に冷める。少しも嬉しくないタイミングで直紀への恋を自覚したが、現実に直紀は慧総学院の寮にいて、向こうに入学して以来、一度もこっちへ帰ってこないのだ。もしかして自分に会いたいとは思ってくれていないのだろうかと、薫はまたしても不安になる。それとも慧総で好きな人ができたとか……？

「直紀、僕に会いたくないのかな……向こうで好きな人ができたとか……」

「なんだ、月隠は慧総に行ってから帰ってこないのか」

「うん……」

「頑張ってるんだろ。中高六年、甘利のそばにいることよりも、その先の何十年を月隠は考えてるんだと思う。今は我慢だな、甘利」

「え、どういう意味？」

「そういうことは月隠本人に聞け」

　白井はまたにやりと笑った。

「そうだ、明日からは一人で行動しないでくれ。特にトイレ。連れションするから必ず俺に声かけて」

「……それって、トイレで僕が……ってこと？」

　まさか、と言いながらも青ざめる薫に、白井は無表情に答えた。

「授業中にムラムラしちゃった性欲の塊の思春期男子が、トイレに抜きに行ったら美形のオメガがいました。さてどうなるでしょう」

「……」

「まあそういうことで、俺が甘利にくっついてることにするから。マジで月隠いないのが痛いな」

ふう、と白井がため息をこぼす。ごめん、ありがとう、と言った薫は、ふとそのことに思い当たって尋ねた。

「白井は平気なの？　僕がいて……」

「ああ、俺、アセクシャルだから」

「本能まで？」

「俺に限っては完全に同調してる。ぶっちゃけ甘利のフェロモン、ものすごく濃厚だった。傷む寸前の果物みたいな匂いね。でも欲情しない。甘利にとって俺は、通常でもヒート中でも完全に安全な存在ってこと。だから月隠が俺に甘利のことを頼んだわけだ」

「白井と直紀ってそんなことまで話すほど仲がよかったんだ」

「仲がいいというか、親同士が仕事の関係で濃密な付き合いをしてるんで、その延長でね」

「ああ、そういう……」

白井の父親がなにをしているのか知らないが、直紀の父親が頭取ということを考えれば、経営者あたりだろうと思われたので、納得した。そんな薫ににやりとした笑みを見せ、白井は言った。

「甘利のそういうところ、本当、好き。とにかく今日はもう帰りなよ。ただ洩れていた凶悪なまでの色気は引っ込んだけど、フェロモンの残り香がすごいから学校にいたら危険だ」

「あ……、うん……」

自分のせいでみんなを混乱させただけではなく、自分の体が治まっても、まだみんなに影響するほどのフェロモンがあたりに残っているのだ。みんなの意思とは関係なく情動をかき立てる薫に……オメガに、みんなが迷惑を感じるのも仕方がないと実感した。迷惑な気持ちが嫌悪や侮蔑の感情に変わることも、もっともだとも思う。

初めて経験したヒート。自分の体も、周囲への影響も、こんなにすさまじいものだとは想像もしていなかった。明日、級友たちがどんな目で自分を見てくるかと思うと、たまらなく怖い。

（でも頑張る。直紀と約束したんだから）

夢を叶える。医者になる。

その希望に向けての努力を怠るまいと思う。自分で自分に失望なんかしたくないし、なにより直紀に軽蔑されたくない。

（負けない）

自分に約束するように心の中で強く呟いた。

けれど現実は想像以上にきつかった。無視はそれほど堪《こた》えない。薫自身、雑談をするよりも本を読んでいるほうが好きだったから、放っておいてくれるならそれはそれでよかった。聞こえよがしの陰口も、すれ違いざまの侮蔑も、予想していたから無視できた。体育は今後は見学と父親から言ってもらえたので、着替えの時になにかが起きることはなかったが、とにかく廊下で蹴られたり、階段から突き落とされそうになることがあった。そこまでされるいわれはないと薫は思っているから正当に抗議するが、それは当然無視されるのだ。白井がいる時は手も足も出してこないことが本当に情けなかった。みんなこれまでは白井のことを空気扱いしてきたのに、はったりにしろ、薫に手を出したら潰すと白井が言って以来、みんな白井のことを恐れているふうだった。陰口や暴力よりも堪えたのは、白井言うところの直紀ポジションを得たいと思ってなのか、あの日まで薫にべったりくっついて過保護ぶりを発揮していた直紀の取り巻きが、手のひらを返したことだ。

（信用するなと白井は言っていたけど……）

　こういうことなのかと実感した。友人顔をしていたが、薫がオメガだと知った途端、そばに寄ってこなくなった。けれど薫はそれもわかると思った。

（ヒートしたオメガに遭遇したら理性が飛ぶ。彼らはそれが怖いんだろうし）

　白井のような性指向を持たない大多数の人間にとって、オメガは侮蔑の対象ではなく、実は恐怖なのだと、その時ふいに理解した。

　成績は学年一位を死守していたが、それがかえってみんなの憎悪を煽《あお》っていた。オメガのくせに生意気……各種テストの結果が出るたびに、そう言われた。二位と三位を行き来している白井がニヤニヤしながら、劣等なオメガに敵《かな》わない優秀なアルファってなんだろうな、と言ってくれたので、薫も笑って受け流せた。

（白井の言うことは本当にもっともだよね。努力の前に性差は無意味だ）

自分さえしっかりしていればいいのだと思う。それでもやはり、ため息を呑み込む場面は多い。秋の学館祭。いわゆる学園祭だが、薫はどんな作業からもはじき出された。しかしそこで腐らないのが王子気質というのか、クラスで必要とされていないのなら一人でできることをすればいいと判断し、校内の草むしりにいそしむことにした。背後霊のようについて歩いている白井がぷっと噴き出してしまったほど、薫はおっとりのんびりしているものの、合理的で実は芯《しん》が強い。白井と二人で草むしりをしながら、文学や音楽、演劇のことなど話し続けた。

「月隠に見られたら嫉妬で焼き殺されそうだ」

白井が真面目な声でそう言うので、薫は久しぶりに声を立てて笑った。

「直紀も僕の趣味はよく知ってるから大丈夫だよ」

「いや、知ってる知らないじゃなくてだ、今まで月隠しか知らなかったことを俺が知ったという、その点で嫉妬される」

「そうかなぁ？　いろんなものに対して、直紀はそんなに独占欲はないよ？」

「今までは月隠が甘利を独占できていたからだ。まあでも月隠は俺に借りがあるし、内心俺に嫉妬していても表には出さないだろう」

「独占ていうか、兄貴ぶってるんだよ。だから僕と仲良くしてくれてありがとうとか言いそうだけどな」

「善良で汚れなき甘利くん。学館祭中は学校休むのか」

「来るよ。図書室にいようかなと思ってる」

「ああ、司書の先生が常駐してるから安心かもな」

「そう、安心だよ。だから白井は僕にくっついてないで楽しんで」

「俺は高等部の研究発表を見るのが楽しみなんだ。生物部の発表は知らないことだらけですごい興奮した。今年も期待してるんだ」

「あれ、歴史部は？　去年、ノート持っていそいそと行ってなかった？」

「間違いを指摘して論争になって、出禁を食らった。今年も多分、出禁だ」

白井はそう言って嬉しそうにニヤニヤッと笑ったので、薫は苦笑してしまった。

学館祭を迎えた。初日は図書室で終日過ごした。図書室での飲食は禁止されているが、白井と二人で弁当を食べる薫に、司書教諭はなにも言わなかった。

そして二日目、日曜日。一般開放日だ。

朝のHRを終えてみんなが目的の場所へ向かう中、白井がいつものようにそばに来た。

「今日も図書室だろ？　昼飯の時に行く」

「いいよ、今日は家族と回りなよ」

「家族なんて来ないよ。俺、部活やってないしクラスの演《だ》し物《もの》にもノータッチだし、なにを見に来るんだ」

「……そう言われればそうだけど。僕のところも来ないしね」

「昨日は生物部に入り浸りだったから、今日は新聞部と歴史部に行く」

「歴史部、出禁は解けたんだ？」

「向こうから来てくれって言われたんだ。今年は自信があるってさ。北方領土についてまとめたらしいけど、俺は去年の近代史より北方領土の問題のほうが詳しい。また出禁にされるかも」

「間違いがあったら丁寧に指摘しなよ。白井がにやっと笑うのはデフォなんだと僕はわかってるけど、そうじゃないと馬鹿にされたように感じるから」

　薫が真面目に言うと、白井はめずらしくにっこりと笑った。白井と別れて薫は図書室に行く。この機会に、というのも変だが、自分では買わない、中高生に絶大な人気のある推理もののシリーズを読破する予定だった。黙々と読み進めているうちに昼の放送が入った。学祭中は正午から午後一時まで、音楽が流れるのだ。

（そろそろ白井が来るかな……）

　ロッカーに弁当を取りに行こうかと考えていると、図書室の扉が開いた気配がした。それとともに廊下から、ひそやかだが黄色い声が流れ込んでくる。志青学館は政治家や著名人の親も多いから、芸能関係に就いている保護者の誰かが来たのかなと思う。ざわめきが遠くなったのでドアが閉まったことがわかった。白井が来たのかなと思い、本を閉じたところで、信じられない声がした。

「薫。一緒に昼食食べよう」

「……っ」

　直紀の声だった。間違えようがない、たしかにそれは直紀の声だ。勢いよく振り返った薫は、ほぼ二年ぶりに会う直紀を見て、まったく予想外だったが胸が詰まって、駄目だと思う間もなく涙がこぼれた。直紀が近寄ってくる。椅子を立った薫は、直紀の肩に額を預け、セーターをきゅっと握りしめて泣いた。

「大丈夫だ、薫。俺がいる。大丈夫だ」

「……っ」

　とっくに変声期を終えているのか、大人の声で低く言い、力強く薫の肩を抱いてくれる直紀。安堵と嬉しさで薫の涙はますますあふれた。直紀は薫の肩を抱いたまま、首だけ振り返って司書教諭に言った。

「小学部まで志青にいた月隠と言います。先生、昼休みの間、図書室閉じてもらっていいですか。薫と話したいことがあるんで」

そんな無茶を許すわけない、と薫が泣きながら思っていると、もっと驚いたことに司書は本当に図書室を出て鍵をかけてしまったのだ。ようやく直紀の肩から顔を離した薫は、嘘、と呟いた。

「あんな無茶が通るもの……？」

「言ってみるもんだな」

「直紀、中学生だもん、人徳なんかないよね？　すごいなぁ……」

薫はしきりに不思議がったが、直紀は、当たり前のことだと思っている。薫が終日図書室で過ごしていることも、飲食禁止の図書室で弁当を食べていることも、さっき白井に聞いた。となれば司書教諭も薫の個人的な情報は知っているということだ。

（オメガだから居場所がないんだって）

そこへ小学部まで志青にいたという直紀が現れ、なにを言われてもされてもほほ笑んで受け流していた、真性王子の薫が涙した。二人が親友であることは一目瞭然だろう。そして中学は外部へ行った直紀が薫と話したいこととは、薫自身の非常にプライベートなことだとわかる。だから特別に図書室を二人のために空けてくれたのだと。

「大丈夫だから、ほら、椅子に座れ」

「うん……」

薫はぐずっと鼻をすすって椅子に腰掛けた。小学生までの時のように直紀がハンカチで薫の涙を拭ってくれる。小学生の時と違うのは、ハンカチがブロード生地からガーゼ生地に変わっていることだ。変わったことや、変えた理由を知らないことで、薫の胸がチクリと痛んだ。馬鹿みたいだな、と思う。直紀の全部を知っておかないと気がすまないなんて、どうかしている。

　直紀に手渡されたガーゼハンカチをそっと撫でると、まるで薫の考えが読めたように、直紀が苦笑して言った。

「なんて言うんだ、ただの布みたいなハンカチ。あれ、洗濯したあとアイロンかけるのが面倒でさ。ガーゼなら乾かしっぱなしでも使えるからハンカチ変えたんだ」

「あ、洗濯も自分でするんだ……」

「ついでにやってくれるって言う先輩や後輩もいるけど、気持ち悪いじゃん、自分の衣服を他人にさわられるのって。薫のだったらまとめて洗っちゃえるけど」

「ああ、僕もそうかも。洗濯はしたことないけど、塾の夏期合宿の時、二人の衣服ごっちゃにしてて、下着もTシャツも勝手に着てたもんね。洗濯くらいどうってことはないよね」

「薫がやらなくても俺がやるから問題ないよ」

「うん？」

　なんだか同居の相談のようだ。薫がまだ赤い目で直紀を見ると、直紀は笑みを消して言った。

「薫。高校、慧総に来いよ」

「え……、なに、突然……」

思いもかけない言葉だった。動揺する薫に、ひたりと視線を据えて直紀は言う。

「全部白井から聞いてる。全部だ」

「……」

全部知られている……。自分がオメガというやっかいな性だということも、そのせいで学校中はおろか、おそらくは周囲にすむ住人にもひどい迷惑をかけたこと。クラスで孤立していることやいやがらせを受けていること、学年を問わず捕食される側の性として見られていること。そして、一生ずっと親友でライバルだと約束した自分が、体育もスポーツもできなくなったこと……。

ショックで体の芯が冷たくなった。直紀に失望されるだろうか。親友ではいられなくなるのだろうか……。

青ざめる薫に、直紀は昔のように優しい微笑を見せた。

「心配することない。物心ついた頃から薫のことは守ると決めていたから」

「……でも、僕……オメガだよ……」

「関係ない。志青ふうに言うなら、薫は俺の王子だからな。アルファだろうがオメガだろうが、薫は薫だろ？」

「直紀……」

やっぱり直紀は無意味な差別をする男ではなかった。心の中の一番重たいつかえが取れて、安堵と嬉しさでまた涙があふれた。直紀は、泣くなよ、と苦笑しながら薫の頭を抱きしめた。

「ただ、後悔はしたよ。慧総に行って薫と離れるんじゃなかったって。志青に戻ろうかとも本気で考えた」

「直紀」

そんなの駄目、と言おうとした薫に、最後まで聞いてという身振りをして直紀は続けた。

「でも、薫を俺だけのものにしておくためには、それは最善の手じゃないと思った。俺が完全にコントロールできる環境じゃないとって」

「え……」

「その下地作りを最優先にしてたから薫にも会いに来られなかったんだ。ごめん。でも俺が薫を信じてたように、薫も俺のことを信じてくれてると思ってたから。オメガだって打ち明けてくれなかったのは、ちょっと傷ついたけどな」

「ごめん……怖くて……」

「だけどもう大丈夫だ」

薫の手からガーゼハンカチを取った直紀が、押さえるように優しく涙を拭う。

「薫。慧総に来い。高校から編入してこい。あと一年半頑張ってくれないか。俺も一年半で盤石にしておく」

「……どういう意味……?」

「慧総を薫にとって安全な場所にするってこと」

「え?」

それでも意味がわからない。とまどう表情を見せる薫に、心配するなと直紀はうなずいた。

「慧総、来いよ」

「……親と話してみる……」

「親がいいって言ったら、慧総来るんだな?」

「……うん。直紀のそばにいたい」

「わかった」

短い答えだったが、直紀の声には力がこもっていた。薫はまた直紀の肩にそっと額を寄せた。いくつもの疑問が薫の頭にあったが、また直紀のそばにいられるかもしれない、直紀とともに過ごせるかもしれないという嬉しさを前に、わざと曖昧にして答えを出そうとしなかった。直紀と離れて一年半、薫は本当の意味で心底からの安堵を覚えていた。

そうして、異例ながらも高校から慧総学院に編入したのだった。

直紀と談笑しながら学院内を案内してもらう。今は寮棟区域にいて、四年……一般的には高校一年の棟の前まで来た。出入り口のドアは、食事の時間に生徒が一斉に出ていくことを考えてだろう、観音開きの大きなドアになっていた。それでもふつうの学校の昇降口のドアとは違って木製だ。作り込んだ中世ヨーロッパの街、という直紀の言葉が頭に浮かんだ。

とはいえ内部は現代の仕様だ。入ってすぐにテレビも備えた休憩室のような広いスペースと、その奥にパソコンも置かれた自習スペースがあった。数人がテレビを見ていたが、入ってきた薫たちを見ると、興味津々という眼差《まなざ》しを向けてくる。薫は会釈をしたが直紀は彼らを無視して言った。

「一階はパブリックスペースになってる。それはどこの寮棟も同じで、サロンという名の多目的室だ。奥のテーブルにあるパソコンは自由に使っていい。ただしＩＤ通すから、いつなにを閲覧してたかは学院に筒抜けになることを覚えといて。エロ画像見るくらいなら見逃してくれるけど、エロチャットとかエロ系に課金したら謹慎処分になる」

「えっ、ネットにつながってるの⁉」

「そりゃつながってるよ」

　直紀は苦笑した。

「スマホ禁止のうえネットも使えないってなったら、暴動が起きるよ。だから家族や友達とはあのパソコンでメールできる。電話は一階の事務室からかけられるよ。ただし公衆電話だからテレホンカードがいる」

「テレホンカードなんて見たことないよ……」

「みんなそう。まあメールできるし、ホームシックで家族の声が聞きたいって奴以外は電話使わないよ。あ、そうだ、学内での買い物は全部ＩＤカードで支払えるから」

「全部って全部？　コンビニも？」

「そう、全部。だからクレカと同じと思って絶対なくさないようにな。盗難にも注意してほしい」

「わかった。テレビとかパソコンは何時まで使っていいの？」

「二十四時間、いつでもオーケー。各階にも小さいサロンがあるんだけど、パソコンは一階のここにしかないから」

「うん、わかった」

「よし。それから、あっちに」

と言って直紀はサロンの左手にあるドアを指さした。

「集合ポストと洗濯室と自販機コーナーがある。ちょっとした文具を買ったり家族からの緊急電話の取り次ぎしたりしてくれる事務室もあっちにあるから」

「自販機のコーナーまであるんだ。至れり尽くせりだね」

「夕食六時だからな。夜中まで勉強してると腹減るだろう」

なるほど、夜食は自販機で調達するんだなと薫は理解した。

「じゃあこっち。薫の部屋に案内するよ」

直紀はそう言って、サロンの右側のドアを出た。

「こっちには自販機とか洗濯室とかないんだけど、その分、生徒の出入りは少ないから、少しは静かなんだ。薫、こっち。階段大丈夫か？」

「平気。あのね直紀、過保護すぎる。スポーツできないだけで、ふだんの生活は問題ないんだから」

「少しずつ過保護は解除していくよ。今はどれくらいだと薫にはマズいのか、計ってる段階なの」

「もー。だから、体育は見学する程度だよ」

「そうは言っても不測の事態が、あ、こっち」

二階の廊下へ出て奥へと進む。突き当たりの部屋を直紀は開けた。

「ここ、とりあえずの薫の部屋。角部屋だから窓が多くて庭がよく見えるし、ほかの部屋よりストレスはかからないと思うんだ」

「うん。……あれ、個室なんだ」

部屋に入って薫は驚いた。てっきり相部屋だと思っていた。直紀は薫の手荷物をチェストの上に置くと答えた。

「一年から三年は二人部屋だけど、四年からは個室が基本。家具の持ち込みは禁止だから気をつけてくれ。勉強机しかテーブルないんで、プラモ作りが趣味の奴は苦労してるからさ」

「出したりしまったりね」

ふふ、と笑った薫に、直紀が思案顔で言う。

「薫の荷物、そこの段箱四つだけ？　とりあえずチェストとクロゼットに着替えは入るだろうけど、あとから本が届いても書棚が置けないからなぁ」

「大丈夫、本は送ってないよ。読みたい本があったら図書館で借りるし、第一、本屋に行けないでしょ？」

「通販でなんでも買えるよ。デビカ持ってれば現金なくてもいろいろ買えるだろ。ただし、買ったものは事務室で開梱《かいこん》、確認されるけどね」

そう言って直紀はにやりと笑った。エロ系の雑誌やＤＶＤを買った生徒でもいたんだろうと想像し、薫も苦笑してしまった。部屋の中をぐるりと見回した薫は、出入り口そばのドアを見て、まさか、と言った。

「トイレまでついてるの……？」

「ユニットバスだけどな。だからいつでも風呂使っていいことになってるけど、さすがに真夜中とかは隣の迷惑になるから、それだけ気をつけてくれ。あとベッドメイクや部屋の掃除は業者がやるから、薫がやることといえば洗濯くらいかな」

「それにしてもまるでホテルだね……」

「雑用は全部学院がやるから、その代わり勉強しろってこと」

「僕はそのほうが助かるかな。掃除なんてしたことないもん。あとで洗濯のやり方教えて」

「一緒に洗濯しに行けば問題ないよ。なんなら俺が薫の分も洗濯するし。それより荷ほどきしちゃおう。制服脱ぎたいだろ？」

直紀は段ボール箱のガムテープを剝《は》がすと、薫に衣類を手渡しながら、これはチェスト、これはクロゼットにしまえと指示をする。言われなくてもそれくらいできるよ、と思ったが、薫は微苦笑したまま従った。せっせと荷ほどきしながら直紀が言う。

「放課後は私服オーケーだから。……やっぱりな」

「なに？」

すべての段ボール箱を空にした直紀が微苦笑する。薫が首をかしげると、手際よく箱を潰しながら直紀が答えた。

「生活用品が皆無だな」

「生活用品？」

「歯ブラシ、歯磨き、ハンドソープ。シャンプー、コンディショナー、ボディソープ」

「……あっ」

たちまち薫は顔を赤くした。生活用品など頭に浮かびもしなかったのだ。

「あ、えっと！　その、自分で荷造りしたんだ、できるからって……っ」

「みえなんか張らないでお手伝いさんに整えてもらえばよかったのに」

「みえじゃないよ、自分のことは自分でって思ったんだ。これからは全部自分でやるんだから……」

「で、生活用品まるっと忘れたと。いいよ、買い置きあるから俺のをやる」

「コンビニ行くよ、売ってるでしょ？」

「歯ブラシはコンビニでいつも使ってるの買ったほうがいいな。それ以外は俺のをやる」

「だからいいって、……」

「そのほうがいいんだ。俺と同じ匂いがするだろ」

「うん？」

どういう意味なのかわからなくてとまどう。直紀は薫を振り返ると、にやりと、ちょっと怖い感じのする笑みを口端に浮かべた。なんとなく理由を聞けなくて薫が視線を落とす。妙な空気を変えるように、じゃあ、と直紀が明るく言った。

「コンビニ行くか」

「あ、うんっ」

ホッとして、薫は直紀と肩を並べて部屋を出た。階段口の前まで来た薫は、ちょうど一階の寮出入り口の真上に当たる部分にある部屋に気づいた。縦長の手すりのような取っ手がついていて、個室のドアが木製なのとは違って、それは金属製に見える。物入れかなと思って尋ねた。

「直紀、あそこは共用の物入れかなんか?」

「……セーフルームだよ」

「そうなんだ⁉　すごいね、そんな設備まであるなんて。でも小さくない?　この棟の生徒が全員入れるとは思えないけど……」

「そんな事態になったら食堂に集合だよ。それより薫がいつも使ってる歯ブラシ、コンビニで扱ってるといいけどな」

「あるといいなぁ。僕、通常サイズのだとうまく磨けないんだ」

「知ってる」

にっこりと直紀に笑顔を向けられた薫は、直紀が強引に話題を変えたことにも気づかなかった。

　寮から出ようとした時、サロンから声がかかった。

「直紀、王子連れて出るなら気をつけな」

　足を止めて振り返った直紀に釣られて、薫もサロンのほうを見る。そしてちょっと驚いた。西部劇でよく見る、田舎町《いなかまち》の怠慢な保安官のように、テーブルに両足をどっかりと乗せて、なにかの雑誌を読んでいる生徒がいた。うわぁ、行儀が悪いどころじゃない、と薫が目を見開くと、直紀がその生徒に向かってゆっくりと言った。

「王子？」

「違うのか。眉目秀麗が人になったって感じだろ、そこのきみ」

「……もうみんな知ってるのか」

「知ってるらしい。弟から連絡来た。直紀の目撃情報を総合してってところだろうな。中等部は全員揃《そろ》ってるからやかましいぞ。こっちは進学式まで戻らない奴ばかりだろう。あの人は別として」

「ソノさんか。問題ない。薫に手を出したらどうなるか、下の奴らよりずっとよくわかってる」

「薫くんていうのか、麗しの王子様」

生徒はそう言ってにやりと笑うと、テーブルから足を下ろして真《ま》っ直《す》ぐに薫を見た。

「直紀と同じクラス、まあ王子とも同じクラスになるだろうけど、吾田《あがた》英《すぐる》だ。よろしく」

「あ、甘利薫です。よろしくお願いします」

薫が慌てて挨拶を返すと、直紀が笑みを浮かべて言った。

「吾田のことは信用していいから。まあないとは思うけど、もし俺がいない時に困ったことがあったら、まず吾田に言って」

「困ったことって、でも……」

「まあほら、新参者に対するいやがらせとかさ」

「そういうのあるのかな？」

「あったら、の話。あと生活の中でわからないことが起きた時とか。いつも薫のそばにいたいけど、ＳＰ並みにってわけにはいかないんだ、残念なことに」

「大丈夫だよ、僕だって一通りのことはできるよ」

「そうだな、ここで暮らすっていうのに、生活用品、丸忘れする程度にはな」

「そ、うだけどさ……」

薫の荷造りは長期旅行でホテルへ送る荷物の有様だった。暮らしに必要なものは実家ではお手伝いさん、ホテルでは従業員が整えてくれるのものだから、それらについてすっぽりと頭から抜けていた薫は、自分の常識のなさ、甘えに気づいて顔を赤くした。それを見た吾田が、低く笑って言った。

「本当に王子なんだな。でも自宅に警護が立つ系じゃないんだろ？」

「違う。医者一族だよ」

「さすが。百姓上がりのうちとは格が違う」

「吾田のあれは自虐ふう自慢だから気にしなくていい」

直紀が薫に言う。けれど薫は級友の親の仕事がなんであれ、善《よ》くも悪くも気にしたことはない。収入とか社会的地位とか、そうした面倒な諸々のことをまったく気にしたこともない、箱入り息子ゆえの無関心さだ。それよりも薫が気にしたのは、出入り口にいる自分たちとサロンにいる吾田とは距離があって、二人ともサロン中に聞こえる声で話していることだった。薫はそっと直紀の上着の袖を引いた。

「そういうの、大声で話すことじゃないでしょう？」

「まあ周知の意味もかねて。吾田もそのつもりで声をかけてきたはずだから」

「なに、周知って……」

「薫は俺の大事な奴だって、まずはこの四年の寮棟に知らせておかないとね」

「そんなのわざわざ言うことじゃないでしょう？　ほら、コンビニ行こう」

「……まあ薫なら平気だろう」

意味深長なことを呟いて、先に立って出入り口を出て行く。薫が吾田に会釈をすると、吾田は予想外ににっこりと爽やかな笑みを返してきた。直紀と話していた時の態度と違いすぎて、ちょっととまどう。

「薫」

「あ、うん」

直紀に呼ばれ、薫は慌てて寮棟を出た。その途端だ。

「直紀先輩っ。どこ行くんですか⁉」

芸能人の出待ちのように出入り口の外に立っていた生徒が、タッと直紀に駆け寄ると、一瞬腕に腕を絡めた。だがすぐに腕を離す。直紀のパーソナルスペースに堂々と侵入しているどころか、薫と直紀の距離よりも近い。

（子犬っぽい……）

物おじしない態度やくるくるの巻き毛、直紀に会えた嬉しさを素直に表しているくりくりの目などが、ウォータードッグ系の犬の子供を連想させて可愛い。とはいえ身長は薫より高い。ちらっと視線を向けられたので、いつもの王子癖で笑みを返すと、生徒はほんの一瞬、怯んだような表情を見せた。直紀が薫の背中に手を回し、押しながらコンビニへと歩き出す。

「コンビニ行くところだよ。薫、これ、三年の国近《くにちか》」

「えーっ、いつもみたいに飛鳥《あすか》って呼んでくださいよーっ」

飛鳥が直紀の袖を摑んで上下に体を揺すった。非常にわかりやすい親密アピールをした飛鳥が、なんだか女の子みたいに思えて、薫は思わず微笑を浮かべてしまった。そんな薫に飛鳥が真っ直ぐに目を向けて言う。

「三年の国近飛鳥ですっ。直紀先輩みたいに、飛鳥って呼んでくださいっ」

「自己紹介ありがとう。編入してきた甘利薫です」

「薫先輩って呼んでもいいですか⁉」

「なんでも好きに呼んでいいよ」

やっぱり人なつこい子犬みたいで可愛い。そう思って薫はふふふと笑ったが、直紀のほうは鬱陶しそうに飛鳥に言った。

「飛鳥、用は？　俺たちコンビニに行くんだ、手短に」

「用っていうか、直紀先輩が帰ってきたって聞いたのでっ」

「ちょっと駅まで行ってただけだよ。じゃあな」

「僕も一緒にコンビニ行きますっ。プリン買いたいしっ」

飛鳥が薫とは反対側で直紀の腕にすがりつく。じゃれつく子犬みたい、と思った薫は、そこではたと気づいた。

（ああ……、飛鳥くん、直紀のことが好きなのか……）

それにしても付き合ってもいないのに腕に腕を絡ませるとは、ポジティブというか度胸がある。好かれていなかったら引かれる行動だ。ちらりと直紀の表情を窺《うかが》うと特にどんな感情も見せていない。飛鳥のことは、ちょろちょろまとわりつく下級生としか思っていないようだった。

（直紀は踏み込まれなければ来る者拒まずだからね）

直紀が本気で怒ったところは見たことがないが、カチンとくると相手の心をえぐるようなことを言う。飛鳥はそれを知っているのかいないのか、ともかくも引き際は心得ていてほしいなと薫は思った。

三人で食堂棟のコンビニへ行き、歯ブラシのコーナーを見る。薫より早く直紀が歯ブラシを見つけた。

「薫、いつものやつ、あった」

「あ、ほんと、あってよかった。歯ブラシを家から送ってもらうとか笑っちゃうもんね」

「箱買いでな。みんなから、薫は歯ブラシを使い捨てすんのかよって思われたら、それはそれで楽しいけど」

「いやいや、変人扱いされたくない」

二人にとってはどうでもいいことを話していると、飛鳥が割って入った。

「直紀先輩、薫先輩の歯ブラシの好みまで知ってるんですか？」

「ああ」

直紀が薄い笑みを浮かべて答える。

「薫のことならなんでも知ってる。薫も俺のことをなんでも知ってるよ」

こんなことを直紀が言うのは初めてだ。飛鳥を挑発してどうするつもりかと直紀の顔を見た時、棚の向こうから声がした。

「直紀がいるのか？」

生徒が一人、棚を回ってやってきた。直紀と同じほど身長があるので、薫はちょっと見上げる体勢だ。第一印象は傲岸《ごうがん》といったところで、整った顔立ちだが、瞳に他人を見下す色が窺えた。同級生かなと薫が思った時、その場の雰囲気がピリッと緊張したことに気づいた。なんだろう、と思っていると、直紀が言った。

「ソノさん、こんにちは」

ああ、さっきサロンで聞いた名前だと薫は思う。たぶん先輩だ。薫がぺこりと頭を下げると、直紀がいつもの穏やかな声で教えてくれた。

「薫、この人は御園《みその》先輩。六年生で生徒会長」

「よろしくお願いします、甘利薫です」

もう一度御園に頭を下げる。御園は値踏みするように薫を頭のてっぺんからつま先まで見た。同級生の母親にこういうことをする人が何人かいたが、久しぶりの全身チェックだ。高校生男子でもこういう人がいるんだなぁとのんびり思っていると、御園は薫への関心をなくしたように、ふいと直紀に視線を移した。

「ちょいちょい実家に帰ってたのは、この子のためか」

「編入手続きなんか俺が代行してましたから」

「直紀を追いかけてきたってわけか」

「いえ。俺が頼んで慧総に来てもらったんです」

「……」

またしても空気がピリッとした。なんなんだろう、なんだか怖い、と薫が思っていると、御園が真っ直ぐに薫を見た。

「綺麗だし可愛い。見てくれはいい。でも中身は？」

「え、あの……」

問われている意味がわからない。中身ってなんだろうととまどっていると、代わりに直紀が答えた。

「薫のことは俺が知っていればいいと思いますけど」

「だけど気になる」

「気にするのは無駄ですよ。ソノさん、来年は帝国大でしょう？　五年後にはお父様と同じ道を歩まれるんじゃないんですか」

「……」

「薫のことは俺だけが知っていればいいと思います」

直紀が繰り返す。薫についてあれこれ詮索するなと言うことだろう。先輩に対してこの強気はなに、とますます薫はとまどった。けれど御園は気分を悪くしたふうもなく、それどころかわずかに怯んだ様子を見せると、それを取り繕うような笑みを浮かべた。

「まあ俺は直紀にしか興味ないからいいけど。だけどそういうやり方は敵を作るぞ」

「俺を敵だと思うかどうかは相手次第でしょう？　敵視されたら俺も敵視しますけど」

「オーケー、わかった。俺は愛人でいい。親父《おやじ》が聞いたら発狂するだろうけどな」

薫はギョッとした。愛人てなに、誰の愛人なの、と固まると、直紀が声を立てて笑った。

「薫はそういう冗談に馴れてないんですから、やめてください」

「はいはい、本当に王子ってわけだ。飛鳥」

御園がそれまで無視をしていた飛鳥に視線を向けた。

「俺は降りる。王子には敵わない。おまえは頑張れ。おまえならいける」

直紀の腕にすがりついている飛鳥の肩に手を置いて、満面の笑みでそう励ますのだ。

え？　と薫は混乱した。

（なに？　え？　御園先輩も直紀のこと？　え？）

それにしてもこの状況はどういうことなのだろう？　まったく理解できなくて直紀を見ると、直紀はぷくくと笑った。

「ソノさんのそういうところ、俺、すごく好きですよ。黒くて」

「俺みたいにあからさまなのは黒いと言わないよ。じゃあな王子様。学内で会ったら仲良くしてくれ」

薫の髪をくしゃくしゃとかき回し、御園はニヤニヤ笑いながらコンビニを出て行った。

「直紀、あの……」

どうやら自分も話題の中に入っているようだが、どういう状況なのかわからなくて、適切なスタンスが取れない。説明を求めようと直紀に目を向けると、そこで飛鳥がぐいと直紀の腕を引いた。可愛い丸い目をキラリと光らせて薫を見ながら直紀に言った。

「直紀先輩、時間ですよっ」

「まだだろ？」

「あと十分で一時ですよ、もう行かないと間に合いませんよっ」

「もう昼過ぎてるのか。薫に昼食食べさせないとならないから、俺は遅れて行く。ソノさんもそのつもりで先に行ったんだろうし」

「えーっ、マズいですよ、そんなのっ」

飛鳥がぷっと頰を膨らませて言う。なんだかわからないが、なにか用事があるのだろうと思った薫は、慌てて直紀に言った。

「お昼くらい一人で食べるから大丈夫。なにか仕事があるんでしょ？」

「俺がいなくてもいいんだ。だから一緒に食事しよう」

「ううん、本当に平気だから。わからないことがあったら近くの人に聞くから。だから行って」

「でも俺も昼食とってないんだよ」

「それは直紀の責任」

薫がクスクスと笑うと、それが伝染したように、やっと直紀もいつもの柔らかな微笑を浮かべた。

「たしかに俺の責任だな。進学式の用意で呼ばれてるんだ」

「じゃあほら、早く行って」

「食堂、わかるな？　走るなよ、歩いて行け。食べたら部屋に戻って休んでろ」

「わかってる、無理はしないよ。あんまり過保護にしなくていいよ、これから三年、一緒に暮らすんだから」

「……ああ」

直紀は嬉しそうににっこりと笑い、じゃああとで、と言って、飛鳥を腕にくっつけたままコンビニを出て行った。残された薫は、なんだかどっと疲れて、ふう、と小さな息をこぼした。

「モテてるだろうとは思ってたけど……」

当たり前だが小学生の時のように、好き・嫌いという感情だけではない、もっと複雑なものがありそうで、わけもわからず自分がそこに巻き込まれている予感もあって、薫はまたしても慧総に来たことを少し後悔した。自分の存在が直紀の足を引っ張ることになるのではないか、という不安が胸の内で大きく広がった。

慧総はよほどのことがない限り高校からの編入を受け入れない。ガチガチの中高一貫で、それを表すように、高校一年は四年生、二年は五年生と呼ばれる。だから高校の入学式も必要ないのだが、一つの区切りとして、入学式ではなく、高等部への進学式を行っている。

進学式の朝、部屋を出たところで待っていた直紀に聞かれた。過保護に拍車がかかっていて、薫は苦笑しながら答えた。

「おはよう、薫。体調は？」

「おはよう。問題ないよ」

「今日は朝夕、冷えるみたいだ。朝食、ジュースだけじゃなくてあっついスープも飲んでおきな。体育館、寒いから」

「そんなに長くかからないんでしょう？　入学式じゃないんだし」

「学院長の話だけだけど、十分やそこらで終わらないだろ？　体育館に入って、椅子に座って、なんてのまで含めたら」

「座りっぱなしじゃなければそんなに冷えないよ。それに僕、寒いのは平気なの知ってるでしょ」

「知ってる。クーラー効かせた部屋で本読んでる薫見ると、俺のほうが寒くなる」

「直紀は暑さに強いよね。真夏に扇風機だけとか、僕、耐えられないもん」

「あ、言ってなかったっけ？　寮、エアコンついてないから」

「ええっ」

夏場はスライム化必至、と思っておののくと、直紀がにやりと笑った。

「ホテルと同じ、全館空調。室温二十七度設定だから、薫は扇風機を持ち込まないと駄目だろうな」

「なんだよ、本当にエアコンないのかと思った、びっくりさせないでよ」

微苦笑する薫の頭を、直紀は笑いながらよしよしと撫でた。その時背後から吾田の声がかかった。

「おはよう、お二人さん」

「あ、おはよう。晴れてよかったね」

ニコッと笑って薫が返す。吾田は大仰に右胸に手を当てた。

「うわー、王子のほほ笑みっ。ズキュンときちゃうっ」

そう言って薫をさらに笑わせ、薫の横に並んだ。

「直紀、注目されてるぞ」

「わかってる。だから俺がついてる」

「予防線バリバリに張る方向？」

「当然だろう。薫のことを守るために慧総に呼んだんだ。俺以上の防波堤はないだろ」

「ごもっとも」

　頭越しに二人で喋《しゃべ》る。薫は、注目されてる？　と思ってさりげなくあたりに視線を巡らせた。そして、思いっきり注目されていることを知った。

（ほとんどの生徒がこっち見てる……）

　なんでだろう、と不思議に思って直紀に尋ねた。

「ねえ、みんながこっち見てる。どうして？」

「編入生がめずらしいんだよ」

「それだけ？　ホントにまじまじ見てくるよ……。もしかして、直紀が学院の王様だから？」

　ちょっとふざけて言うと、直紀はフンと鼻を鳴らした。

「それもある。けど、慧総には学力カーストがあるからな」

「学力カースト……」

「そう。俺は中等部三年間、トップを独占してた。だから同級生は気安く俺に話しかけられないんだ」

それで王を自称してるのか、と納得した薫は、成績落ちたら悲惨な目に遭いそうと思ってちょっと怖《お》じけた。そんな気持ちを読んだのか、直紀が、平気だよ、と言って薫の髪を撫でた。

「で、この吾田は万年二位。白井と違って抜こうとしてるけど抜けないんだ。なあ、吾田」

直紀がからかう口調で言う。吾田は苦笑しながら、うるせ、と言った。

「王子が来たから直紀のトップ独走は終わりだ、ざまぁみろ」

「そう、それな」

にやりと笑って直紀はうなずいた。

「高等部でもトップを取りたいところだけど、薫が止めると思う。止めてもらいたい。俺の薫はすこぶる優秀なんだって知らしめたい」

「変なこと言わないで」

もう、とため息をついて薫は続けた。

「ここでトップは無理だと思うよ。直紀だけじゃなく、みんなすごく勉強してるんでしょう？」

「勉強時間の長さと結果は比例しないよ。それは薫が体現してるだろ」

「そんなこと言ったら直紀のほうが習い事は多かったんだから……、あ、今はやってないからその分、勉強してるのか。あー、追いつけないかも」

「心配ない。編入試験であの成績なら、昔と同じ、俺と同等だよ。吾田なんか軽く抜いてる」

「なんかとか言わないの」

薫は小さなため息をついた。

食堂へ向かう間も食堂でも、学院中の生徒から注視されていたが、あの日までとあの日以降と、寄せられる視線の意味は違えど注目馴れしている薫だから、いつの間にか気にならなくなった。その後の進学式は直紀の言ったとおり、学院長の短い訓話と、生徒会長である御園の進学おめでとうの言葉を聞いて解散となった。

高等部の校舎は中等部の校舎よりも食堂に近くて、ここでも上級生優遇、直紀ふうに言えば年寄りをいたわる配置で、薫は内心笑ってしまった。昇降口と言うには立派すぎる木製のドアは開け放たれていて、中に入ると衝立《ついたて》にクラス分け表が貼られていた。薫はＡクラスに名前があった。

「直紀と同じクラスだね。よかった」

「クラスも学力別になってる。Ａはトップってこと。今日からＢ以下のクラスの奴は薫になにも言えなくなったってことだ」

「そこまでいくと、なんか怖いね……」

「薫には安全だ。志青にいた時みたいに、無意味な陰口を叩《たた》く奴はいないってことだから。それに俺がいる」

「うん。一緒のクラスで心強いよ」

「……だろ」

妙な間を空けて直紀はほほ笑んだ。

とはいえ薫は医師を目指す理系だし、直紀は文系だ。同じAクラスでも選択科目はまったく異なる。高等部だと選択科目のほうが多いから、校舎に入ったら直紀とはほとんど別行動だ。そんなことを教室に貼られた時間割表を見ながら考えていたら、すっと直紀が寄ってきた。

「俺がいなくても吾田がいるから大丈夫だ」

「吾田くんも理系なの？」

「そう。吾田、理系だよな？」

クラスを振り返って直紀が聞くと、吾田はにやりと笑って答えた。

「残念、文系」

「は？　なんで。おまえ、航空宇宙やるんじゃなかった？」

「親父が弟を見限った。俺が継ぐしかなくなった次第」

「本当かよ。なんだよ、宇宙開発方面におまえを突っ込みたかったんだけどなぁ」

「悪いね、手駒になれなくて。でもおまえのパートナーにはなれると思うよ」

「期待してる。ぜひストレートで合格してくれ」

「我らの王に期待されたら頑張らないとならないな」

ニヤニヤっと吾田は笑ったが、教室の空気が一瞬、張り詰めたのを薫は感じた。

（本当に直紀は王って呼ばれてるんだ……。成績トップだからってだけじゃないみたい……。慧総来てからずっと変な感じがする……）

はっきり聞こう。そう思って直紀を見つめた時、わざとのように直紀が明るく言った。

「じゃあ薫の守り役は誰に頼むかな」

「守り役って……」

とんでもないことを言い出す直紀に、ぶんぶんと首を振って薫は言い返した。

「いらないよ、授業を受けるくらい、一人で大丈夫だよ。志青でも大丈夫だったでしょう?」

「だけどトイレまで白井と行ってたんだろ?」

「それは……」

「まあ状況が違うからな。体に負荷をかけなければ平気かな。万が一があっても俺がいるから大丈夫だ」

「うん……」

薫は視線を落としてうなずいた。直紀が大丈夫だ、心配ないと言ってくれればくれるほど、薫の中で得体の知れない不安が広がる。目の前の直紀は、直紀であって直紀ではない……そんな気がしてしまうのだ。

いざ授業が始まると、直紀は薫がちょっと呆れてしまうほどの過保護ぶりを発揮した。

「薫、次は生物室に移動だろ？　俺は教室だから、なにかあったら知らせて」

「ありがとう。でもなにもないよ」

薫は苦笑した。直紀は薫の時間割を完璧に頭に入れていて、移動教室のたびに、薫はあっちで俺はこっち、と居場所を告げる。知らせてもなにも、生物室などは特別教室棟にあって教室のある校舎とは離れている。なにかがあっても知らせようがない。教科書を抱えて教室を出ようとした薫に、直紀はそっと背中に手を当てて言った。

「体調は？　不調は感じない？」

「大丈夫。もう、本当に過保護すぎだよ。外から見たら子離れできてない母親みたいだよ？」

「薫が心配なんだよ。本当なら手を引いて歩きたいくらいだ」

「僕は幼児でも老人でもないよ。校舎内では走ることはないから安心して」

「……」

「本当に大丈夫。授業終わったら一緒に寮棟へ帰るし、部屋で勉強する以外はいつも直紀と一緒にいるでしょう。勉強も、時々直紀と一緒だけどね」

「でも一人にしておくのが心配で……やっぱり部屋を同じに……」

「直紀」

はあ、とため息をついて薫は言った。

「僕に構ってばっかりいたら駄目だよ。クラスメートと遊ぶっていうか、前みたいにみんなでわいわいやらないの？」

「クラスメートなんてそこにいるだけの存在だろ。俺は薫がいるだけでいいんだ」

「僕がいるだけって、僕はちゃんとここにいるよ。いつも直紀と一緒でしょう？　そういうことじゃなくて、なんて言えばいいのかな……」

直紀の世界には自分しかいない……そんな気がして、それではいけない気もして、でもそれをうまく伝える言葉が見つからない。

（だってこの世界に僕と直紀と二人だけでいいみたいな考え方って、すごく歪《ゆが》んでるもの……）

けれど半年か一年か、しばらく一緒に生活していれば、直紀の心配も今よりは薄れるはずだと思った。

進学式から日を置かず、オリエンテーション代わりの校内バーベキュー会と体力測定が行われた。バーベキューは直紀がべったりそばについていたが楽しめたし、体力測定は身体測定だけ参加した。当然父親と学院側で、体育等はさせないという申し合わせがあったが、それとはべつに直紀が、薫は体が弱いんだとそれとなく言って回っていたので、みんな薫は病気を抱えているのだと理解してくれた。

五月に入った。次の授業は直紀のほうが教室移動しなければならない。直紀は薫のそばにやってくると言った。

「薫。俺は次、数３教室にいるから。二階だからな」

「うん、わかった。僕はここから動かないから心配しないで」

「授業終わったらすぐ戻ってくるから」

直紀はなんとも甘い微笑を浮かべると、するりと薫の頬を撫でて教室を出て行った。教室移動ごとの恒例行事のようになっているが、まだみんな馴れなくて、ビクッとしたように二人を見てくる。薫自身も、これまでこんなふうにふれてくることのなかった直紀だから内心で驚いていたが、それも直紀の好意の表れだと思うと嬉しくもあった。ただ、あまりにも堂々とそれをやるので、いわゆるバカップル状態になっているのではないかと思うと、頭が痛かった。

（……まあ付き合ってないんだけどね……。甘やかしなのか過保護なのか、直紀の行動もちょっと困るけど、こっちも問題だよね……）

ため息を呑み込んで机の中に隠してある封筒を見た。今朝《けさ》、教室に入った時にはもう机の中にあった。女子からもらうような可愛いファンシー封筒や男子からもらう白封筒とは違い、一見で上質とわかるクリーム色の洋封筒だ。ラブレターだ、と直感した。慧総に来てまだ一ヶ月ちょっとなのに、実はすでに数人からこうした手紙をもらっていた。

（直紀には言ってないけど）

直紀が自分に恋心を持ってくれているのかまだわからないが、過保護と心配性の合わせ技で薫のことを独占したがる直紀だから、ラブレターをもらったなんて言おうものなら、差出人にどんな行動を取るのか読めなくて怖い。今日の手紙も直紀に知られずに中身を読むのは至難だったが、トイレに入って急いで読んだ。思ったとおり、ラブレターというより恋文といったほうがしっくりとくる内容だった。薫の容姿を美辞麗句を並べ立てて褒め、小柄なのも病気のせいかと思うと胸が痛むとか、そんな儚《はかな》い……本当に儚いと書いてあった……薫を守ってあげたいとか、そんな内容だ。放課後にどこそこで待っているとか、よければ付き合ってほしいとか、そういうことはどの手紙にも書かれておらず、それが唯一の救いだと思う。

（きっと僕のこと、すごく美化してるんだろうな）

アイドルはトイレに行かないと信じていそうなタイプだ。薫はきゅっと唇を噛んだ。

（あの日までは、ラブレターもらうと、素直にありがとうって気持ちだったけど……）

今は違う。男という男の欲望を無理矢理引きずり出すヒートを経験してから、好意を寄せられることが怖かった。もしまたあれが起こったら、薫に好意を寄せている男子はためらわずに薫を奪いにくるだろう。

（今は直紀がいるから……きっと大丈夫……）

絶対に守ると言ってくれた直紀。慧総なら完全に安全だからと言ってくれた。なぜなら直紀は学院の王だからだと。

今でもその本当の意味がわからないが、信じようと思う。少なくとも薫はあの状態になった時、体は強烈に雄を求めていたが、直紀でなければいやだという気持ちは揺るがなかった。もし再びヒートが起こっても、死に物狂いで抵抗すれば、直紀が駆けつけてくれるまで最悪の事態は避けられるはずだ。

（ちゃんと薬飲んでるし、走ったりしないし、きっと大丈夫……）

直紀に頼り切っていて情けないと思うが、直紀がそばにいてくれることで心底安堵できることも事実だった。

席に着くと、クラスメートがこそりと話しかけてきた。

「なあ、甘利と月隠って親戚かなんかなの？」

「え、違うよ？」

「違うの？　あの月隠が甘利にはすげぇ気を遣ってるっていうか、兄貴みたいに甘利のこと大事にしてるじゃん。吾田まで甘利に優しいし」

「吾田くんってみんなに不親切なの？」

「不親切なんて言葉、超久々に聞いた」

　クラスメートは笑って言った。

「一部の奴らが甘利のこと、王子とか呼んでるじゃん。キモッとか思ってたけど、実際王子なんだな」

「いや、ふつうの高一だよ……」

「わりとホントに王子だよ。で、マジで月隠とは親戚じゃないの？」

「違うよ。実家が近所で幼なじみなんだ。中学で直紀がこっちに来るまで、幼稚園も小学校もずっと一緒だったんだ。僕はそのまま上に進んだから、中学時代はほとんど会ってなかったけど」

「上に進む？　学校、どこ行ってたの？」

「志青学館」

「えっ、志青にいたのにうち来たの？　なんで……、あ、親が帝国大出てるとか？」

「ううん、親は志青を出てるよ」

「それなのに帝国大狙《ねら》うのか。まあてっぺん狙って努力するのは悪いことじゃないよな。

帝国大行くなら志青よりうちのほうが受かる確率上がるもんな」

「そうだね」

「そっかぁ。月隠は体の弱い幼なじみを守ってるってことか。なんかキュネがムンムンするな、そういうシチュッ」

「え、あ、そうかな……？」

正直、なにを言っているのか理解できなかったが、クラスメートのほうは納得してうなずいた。慧総に編入した理由……本当はまったく違うが、正直に言うことでもないし、言いたくもない。薫はにっこりと王子スマイルを浮かべて、つまり否定も肯定もしないで話をやりすごした。

そうした話は女子のような光速ではなく、微風の速度でじわじわと学年に広がり、直紀の過保護も意味深長に思えるスキンシップも、みんななんとも思わなくなったようだった。

その日、薫が移動教室からクラスに戻ってくると、直紀の机周りにクラスメートたちが集まって賑《にぎ》やかに雑談していた。

（慧総でもクラスの中心だね）

これが本来の直紀の姿だと思った。いつの間にかみんなが集まり、その中心に直紀がいる。小学校の時と変わらない。けれど薫は、昔とは違う違和感を覚えていた。

（みんなが直紀の話に笑うのも、盛り上がってる仕種《しぐさ》も……）

わざと演じているように薫には見える。作り笑いやはしゃぐ振り。それは中学の時にちらほらといた、仲間はずれにされたくなくてみんなに同調する、というのともまた違った。

（直紀の機嫌を取ろうとしているみたいな……おもねっているみたいな……）

一人、二人ならそういう級友がいてもおかしくないが、直紀を囲む全員がそういう雰囲気だ。まるで暴君に仕える佞臣《ねいしん》のようないやらしい空気を感じる。

（暴君……）

ここでは直紀は暴君のように振る舞っているのだろうか。快活で正義感にあふれた直紀が？

慧総に来てからずっと感じている、一体なにが起きているのかという漠然とした不安を抱きつつ教室に入ると、すぐに直紀が気づいて席を立ってきた。

「お帰り。トイレは？」

「平気。もうホームルーム始まるよ。そこで先生に会った」

答えながらちらちらと直紀を囲んでいたクラスメートたちを見る。みんな、ハッとしたように、仮面のような笑みを薫に返した。やっぱり変……。ちゃんと直紀に理由を聞こうと薫が思ったところで、担任がやってきてホームルームが始まった。

慧総は寮の清掃も業者がやるくらいなので、校舎も同様で、生徒は掃除をしない。薫も直紀も部活をやっていないから、授業が終わると真っ直ぐに寮に向かう。校舎から寮棟までは、直線距離なら歩いて十分もかからない。けれど構内には花壇やら築山《つきやま》やらがあちこちにあって、それを回るように通路が敷かれているから、なんと二十分ちょっとかかる。

「健康のために多く歩くように設計してあるのかな？」

初夏だから木々が鮮やかな緑色の葉を茂らせていて、学院中が緑に染まったようだ。そんな木立の下を歩きながら薫が素直な疑問を口にすると、直紀がハハハと笑った。

「それは斬新な意見だな。言っただろ、ここは大昔のヨーロッパの街を手本にしてるって。ぶっちゃけ、事務棟が宮殿で、食堂が教会のつもりだよ。だから門から事務棟、食堂までは直線の通路だろ？」

「……ああ、言われてみれば……」

「食堂の屋根に時計塔があるだろ。あれ、電車から見ると、教会の尖塔《せんとう》みたいに見えるんだ。不気味だなと俺は思ったけど、逆にあれがいいって奴もいる」

「だからそれ以外の、いわゆる町民の暮らすあたりは道がくねくねしてるってこと？」

「そう。あとは造園デザイン的に、公園ぽくしてるからかな。ここは六年間だけ過ごす幻想の世界だ。現実世界から切り離されてる。そのための舞台装置だよ」

「……やっぱりなんか、怖い……」

「仕組みを理解していれば怖くないだろう？　これも言ったけど、六年間、この特異な空間で暮らしていることで、生徒間に強い連帯感が生まれる。それがその後、力を持つんだ」

「うん。ここに来た時に聞いたけど……」

尋ねるなら今だろうと思い、薫は言った。

「あのね。直紀にちゃんと答えてほしいことがあるんだ」

「うん、なに？」

薫から質問を受けたことが嬉しいというように、直紀が甘い笑みを浮かべる。その時だ。

「直紀せんぱーいっ」

背後から飛鳥の声が届いた。振り返ると中等部の校舎のほうから走ってくる飛鳥の姿が見えた。飛鳥は息を切らして直紀の隣に立つと、いつかのように直紀に腕を絡ませた。

「偶然ですねっ。帰ろうと思ったら直紀先輩の姿が見えたからっ」

「中等部の寮は体育館のほうから回ったほうが近いだろ」

偶然じゃないよな、という口調で直紀が言う。飛鳥はエヘッという感じに笑った。

「直紀先輩に会えるんじゃないかと思って、僕いつもこっちを回って帰ってるんですよっ」

「用があるなら寮を訪ねてくれればいいだろう」

「えーっ、用がないと先輩に会ったらいけないんですか!?」

無邪気に言った飛鳥が、ふと薫に上目遣いで言う。

「あのぅ、薫先輩……」

「うん、なに？」

上目遣いは女子の必殺技だと思っていたが、飛鳥がやると同じくらい可愛い。すごいなぁとおっとり感心する薫に、飛鳥は上目遣いの奥にキラリと挑戦的な光を閃《ひらめ》かせて言った。

「えっと……、遠慮してもらえませんか？」

「ん？　なにを遠慮すればいいのかな？」

「だからぁ……」

薫は真面目に聞いている。鈍感というより、飛鳥が直紀と二人きりになりたいと思っていることを、純粋にわかっていない。飛鳥が直紀に好意を持っているだろうことは察しているが、付き合ってもいなければ根回しもされていないのに、飛鳥に遠慮を求められる理由がわからないのだ。なにか飛鳥に図々しいことをしていたかなと考えていると、直紀がふふっと笑った。

「王子の面目躍如だな。飛鳥。遠慮するのはおまえだよ」

「えー……」

「薫と大事な話があるんだ。用がないならあっち行け」

「でも直紀先輩と、……」

「飛鳥」

直紀が感情のこもらない平坦な声で言った。その途端、飛鳥がビクッとし、一瞬怯えた表情を見せた。けれどすぐににっこりと可愛らしい笑みを浮かべて、ピョンと跳ねて直紀から距離を取った。

「直紀先輩、夕食、隣に座ってもいいですか⁉」

「ああ、空いてたらな」

「時間になったらソッコー食堂に行って待ってますっ。じゃああとでっ」

飛鳥は薫にも笑顔でぺこりと頭を下げて、タタタと寮へ向かって走って行った。可愛いねぇと思わず薫は言っていた。

「本当に子犬みたいだよね。直紀に懐いてて。モテるだろうね」

「なんかファンクラブがあるらしい。でもあいつ、プライド高いからな。自分と同等かそれ以上の奴じゃないと相手にしないだろう」

「いいお家に生まれたの？」

「家柄はいい。ただあいつの上に兄さんと姉さんがいるから、あいつは家を継げないだろ。そのことで勝手に卑屈になってるっぽいな」

「ああ、長子の我慢とか勉強とか知らないくせに、跡継ぎ優遇を不公平だと思うタイプ？」

「そんなところ。だから学歴で兄さんたちを見返したいんだよ。跡継ぎなんかになったら好きなこともできやしないのにな」

「努力ではどうにもならないものに、我慢できないタイプなのかもね。名家の跡継ぎには向いてないと思うけどなぁ」

「野心が中途半端だから、なにやってもうまくいかないだろうけどな。あいつのことより、薫。俺に聞きたいことってなに？」

ふと、声の調子まで甘くなる。薫と薫以外のものに見せる態度が違いすぎて、嬉しいと思うよりとまどいながら薫は尋ねた。

「あのさ、直紀はこの学院の王だって言うし、みんなもそう言うけど、具体的にどこが王なの？　成績のことだけじゃないんでしょう？」

「ああ、そんなことが聞きたかったのか」

拍子抜けしたというような表情で直紀は答えた。

「なんかもっと俺が薫のことをどう思ってるのかとか、そういう重大な質問かと思ってた」

「それは重大な質問じゃないよ、ていうか質問するようなことじゃないでしょう？」

「え、質問しないの？　してくれないの？」

「なにそれ。しないよ質問なんか。それよりちゃんと答えて。どうして直紀が王様なの？」

　はぐらかされないよ、と薫がちょっと頬を膨らませると、直紀はたちまち頬を緩めた。

「可愛い。薫ってどんな顔しても可愛いよな」

「直紀。答えて。僕は直紀のことを信じて慧総に来たよ。でも、うまく言えないけど、不安なんだ。直紀が王様って言われてること」

「そうか？」

「みんなの態度も変だよ。直紀におもねってるみたいな感じ。ねえ、答えて。どうして直紀は学院の王って呼ばれているの」

「簡単だよ。みんな十年、二十年先のことを考えてるからだ」

「え……？」

　どういうことなのかわからない。十年、二十年先のこと？　と考える薫に、微笑を浮かべて直紀は言った。

「つまり社会に出てからのこと」

「社会に出てから……」

　薫は父親と同じ、内科医になろうと努力している。直紀の父親は銀行の頭取だ。級友たちもそれぞれ親の跡を継いだり、継がなかったり、目指す未来へ向けて努力している。将来、どんな職業に就き、どんなふうに生きていくのか……それがどうして直紀が学院の王と呼ばれることと関係があるのだろう。薫は無意識に首をひねりつつ言った。

「直紀はおじさんと同じ銀行に勤めるんだったよね？」

「どういう未来でも選べるように、今頑張ってるところだよ」

　直紀は爽やかな笑みで優等生の見本のようなことを言ったが、なんとも曖昧な答えだ。

小学生の頃ははっきりと、お父さんの跡を継ぐと言っていたのに。

（子供の頃みたいに単純にお父さんの跡を継ぐって思うんじゃなくて、いろいろ経験して考えが変わったのかな）

　小学生の頃はスポーツ選手になりたいといっていた級友も、中学に上がって学びを通して将来の希望が変わることなどよくあることだ。

（今はそれを模索中ってことなのかな？）

　直紀なら目指すところを見つけたら必ず教えてくれるはずだと思う。そんなことを考えていたら、直紀に聞かれた。

「薫はおじさんの跡を継いで内科医になるんだろ？」

「……、うん……」

　一瞬、言葉に詰まった薫に、直紀が訝《いぶか》しげな表情を向ける。

「なに、医者にならないのか？」

「……ならないっていうか……、国試受かれば医師にはなれるよ？　だけど……」

「だけど？」

父親と同じ内科医となっても、甘利医院を背負っていくのは、体調の安定しないオメガである自分には無理だと思う。例えば急患が運び込まれた時にヒートしたら、目も当てられない。

けれどオメガだから無理なんだ、と言うのも悲しくて、薫は笑みをつくって答えた。

「父さんは内科医になってほしそうだけど、母さんは小児科医になってほしそうなんだよね。どっちを専門にするか、悩み中なんだ」

「医師目指してくれてて安心した」

直紀はなんとも嬉しそうに笑った。どういう意味？　と薫が尋ねると、直紀はニヤニヤしながら言った。

「だって俺のかかりつけ医は薫って決めてるからさ。ぜひストレートで国試に合格してくれ。あ、でも、小児科を専門にしたら俺のかかりつけ医にはなれないってことか？」

「小児科を表看板にしたらそうなるね」

「あー……」

直紀はなんとも悩ましそうな表情をした。子供の頃、誕生日プレゼントに、ゲームか電子辞書かで悩みに悩んだ時の表情と同じだ。薫は久しぶりに声を立てて笑った。

四年の寮棟に戻ってきた。出入り口から寮室に続くドアに向かっていると、サロンから吾田が呼び止めてきた。

「直紀」

「うん？」

　足を止めた直紀とともに吾田を見る。やっぱり今日もテーブルに両足を乗せて、怠惰な保安官スタイルだ。直紀が、なんだよ、と聞くと、吾田はニヤニヤしながら言った。

「さっきソノさん来たぞ。直紀はどこだって怒ってた」

「ソノさんが？　なんで怒ってるんだ」

「その調子じゃ完全に忘れてるな。役員総会があるんだろ。校舎中、おまえを捜したけどいないって、激オコだったぞ」

「あー……忘れきってた」

　直紀はため息をつくと薫を振り返った。

「ごめん、用があるの忘れてた。一人で部屋に戻れるか？」

「当たり前」

　火の玉級の過保護発言だ。薫は微苦笑をして言った。

「早く行っておいで。僕は部屋で勉強してるから心配しないで」

「すぐに戻ってくるから」

　薫の髪を撫で、ついでに頬も撫でた直紀は、吾田に向かって言った。

「俺が戻ってくるまで薫のこと頼む」

「はいよ」

「じゃ、薫。ちゃんと部屋にいてくれよな」

直紀はそう言って、忌々しそうに寮棟を出て行った。残された薫が部屋へ行こうとすると、吾田がのんびりと言った。

「俺、たいていここでダラダラしてるから。ここにいなかったら部屋にいる。４２０１ね。なんかあったら言って」

「ありがとう、でも大丈夫。それはそうと、役員総会ってなに？」

「ああ、予算委員会だよ。全クラブの部長と中高の生徒会役員が揃うから役員総会って言ってるだけ」

「え、直紀、生徒会やってるの？」

「いいや。あいつはなんにもやってないよ。ただ、我が慧総の王だからね。金や人が動くところに王を呼ばなかったらあとが怖い」

「……そう……」

吾田の言葉を聞いて、しまった、と薫は思った。直紀がなぜ王と呼ばれているのか、それを聞こうとしていたのに、うまく将来の話に持って行かれてしまった。

（なにを隠してるの、直紀……）

薫の胸の不安はどんどん大きくなっていった。

七月に入った。すでに真夏かと思うような暑さで、暑さに弱い薫は体力を消耗しないように、弱冷房電車程度にクーラーが効いている部屋で扇風機をフル稼働させていた。

「直紀、寒くない？　大丈夫？」

リーディングを聞いてくれている直紀に聞くと、いや、と直紀は答えた。

「暑さには強いけど、冷房に弱いってわけじゃない。それより今のとこ、イギリス英語ならジュじゃなくてデュだよ。『てゅーかー』と『というか』の差だけど、大きいから気をつけて」

「あ、うん。中学の先生がアメリカ英語使ってたから、発音に揺らぎが出ちゃってる」

「エスカレーターならそういうところも配慮すべきだよな。小学校までイギリス英語で、中学上がったらアメリカ英語。高等部はどうなんだろう」

「たしかリーディングはイギリス英語のはずだよ。文法と聞く・話すの先生は別だったはず」

「駄目じゃないか」

直紀はハハハと笑うと、卓上時計に目をやって言った。

「もう寝る時間だ。今日はここまで」

「うん、付き合ってくれてありがとう。また見てね」

「いつでも。ああ、ちゃんとすぐに寝ろよ？　薫、顔色が悪くなってるぞ」

「本当？　寝てるんだけどな……」

「ここのところ、消灯後もサロンで勉強してるって吾田に聞いたぞ」

「ああ、そういえば吾田くんもいるね。本当にずっとサロンにいるんだね」

「そういう呑気《のんき》な話じゃない。このところ薫の顔色が悪いから、なんでかなってぽろっとこぼしたら教えてくれたんだよ。睡眠が足りてないんだろ？」

「うわー、ご注進だー」

「ふざけなるな」

ちょっと怒っているような低い声で直紀が言う。慌てて、ごめん、と謝ると、直紀はため息をついて言った。

「ちゃんと寝ろ。ちょっとでも体調がおかしいと思ったら、すぐに言うんだぞ？　我慢は禁止」

「わかった。じゃあ、お休み」

「ああ。本当にちゃんと寝ろよ？」

眉間にしわまで寄せて釘《くぎ》を刺した直紀だが、部屋を出る間際にはきゅっと薫の頭を抱きしめて、お休み、と言った。ドアを閉めて薫はふふっと笑った。

「どんどんスキンシップが濃くなってるなぁ。……まあ、嬉しいんだけど」

きっと親友以上に思ってくれているだろう。それなら恋を打ち明けたら受け入れてくれるかもしれない……。その時のことを想像して、薫は頬を赤くした。

寮は午後九時に消灯するが、それは天井に元々取りつけられている主照明が消されるだけだ。ソケットは生きているからデスクランプなどは自由に使える。サロンは二十四時間明るいしパソコンも使えるから、勉強を続けたいなら続けてもよい、ただし睡眠時間は自分で管理しろということだった。消灯したら寝ろと直紀に言われているが、薫はサロンへ行く代わりに部屋で勉強を続けた。

「みんなすごく勉強してるし……」

少し前、零時頃に喉が渇いて目覚めたことがある。水を買いに自販機へ行った時、サロンにはかなりの人数の同級生がいて、皆無言で勉強していた。塾の自習室の雰囲気だった。ちょっとびっくりした薫だが、すぐに、ああ学期末試験に向けてか、と納得した。慧総は三学期制を取っているから、夏休み前にテストがある。その結果でクラス替えが行われるから、みんな下のクラスに落ちたくなくて必死なのだろうと思った。

（学力カーストがあるって言ってたもんね）

薫は寒々しい気分になった。今はAクラスにいるからなにも言われないが、BやCに落ちたら、直紀の推薦で編入してきたのにこの成績かと、自分だけではなく直紀まで嫌みを言われるのではないかという怖さがある。

「Aから落ちるわけにはいかないよね」

これまでのペースで勉強していたのでは間に合わないかもしれない……。そう思って、直紀には内緒で一時頃まで勉強を続けていた。薫は七時間睡眠が一番体調を良好に保てるが、勉強時間を増やしてからは五時間睡眠になっている。ものすごく睡眠不足というわけではないが、だるさは感じる。

「朝、薬飲むと頭痛がするようになったし……」

そのせいで顔色が悪くなっていたかもしれないと思った。けれどそれもテストが終わるまでだ。みんなの努力に負けないようにしようと、自分に活を入れた。


翌朝、いつものように直紀が迎えに来た。ノックの音でドアを開けると、薫の顔を見た途端、直紀が眉を寄せた。

「また遅くまで勉強してたのか？　本当に顔色悪い。薫はいつものペースで勉強してれば大丈夫なんだ、なんで無駄に勉強するんだ」

「無駄って……、勉強に無駄なんてないよ……」

「そういうことを言ってるんじゃない。ああ、薬は飲んだ？」

「あ……」

ギリギリまで寝ていたから、身支度が整ったところで直紀が来てしまった。だからまだ薬を飲んでいない。そう言うと、直紀は深いため息をついた。

「薬の飲み忘れなんて、一番駄目なことじゃないか。いいか、薫。実家にいた時と同じにするんだ。生活サイクルを崩すな」

「あの……、うん……」

きつい口調もさることながら、まるで命令でもするような言い方をされるのは初めてだった。薫を心配してのことだとはわかっているが、有り体に言えば優しくない直紀など初めてで、薫はとまどった。急いで薬を飲んで、一緒に食堂に向かう。

「薫、こっち」

「あ、うん」

朝から日差しが強く、気温も上がっている。直紀が木陰へと薫を誘導してくれる。

(優しいんだけど……)

ちらりと顔を見ると、まだ眉間にしわが寄っている。直紀は薫以上に薫のことを心配してくれているのに、当の薫が呑気にしていたから気分を悪くしているのだろうと思った。

朝はいつも、朝食なに食べる、など喋りながら食堂に向かうが今朝は無言だ。雰囲気が悪いな、なんとかしないとな、と思ったところで吾田が声をかけてきた。

「おはよう。……なんだ、変な雰囲気だな。まさか喧嘩《けんか》でもしたのか？」

ニコニコしながらそう言う。直紀は前を向いたまま言った。

「昨日、薫はサロンで勉強してたか？」

「いいや、昨日は来なかった。来たら丁重に部屋に送り返したよ」

「これからもそうしてくれ」

「了解してるよ。直紀の大事な王子だからな。いつもみたいに無関心ではいられないよ」

「ああ、それでいい」

恐ろしく傲岸なものの言い方だ。直紀、と小声で言って上着の袖を引くと、横に並んだ吾田が笑顔で言った。

「王子は気にしなさんな。俺に限っては直紀のご機嫌取りをしているわけじゃない、自分のために王子に親切にしてるだけだからね」

「それって、吾田くんとは友人になれないってこと？」

「あー、純粋で美しいなぁ。友人になるかどうかはまだわからないよ。直紀がべったりだから王子とまともに話したこともないだろ？」

「あ、それはそうだね……」

そう言われて初めて、友人がいないことに気づいた。志青にいた時は白井と親しくしていたが、それだって白井のほうから歩み寄ってくれたおかげだ。クラスメートより薫を優先する直紀を心配していたが、自分だって直紀さえいればいいという気持ちでいたのだ。

（うわぁ、これは不健全だよね）

いつも直紀がそばにいるが、だからこそ、直紀を介して親しくなれるクラスメートがいるだろう。せっかく慧総に来て環境を変えたのだから、自分の世界も拡《ひろ》げたいと思った。

相変わらず直紀は黙ったままだが、吾田が間を取り持つように、理系だったら誰それをチェックしとけばいい、そいつらを押さえればトップ間違いない、などと教えてくれ、薫は薫で、理系だったのに文系に変えてとまどわないのかなどと話した。そんな薫たちにいつも以上に視線が集まる。直紀と一緒にいるとなぜか級友たちはそばに来ることがないから、吾田と三人でいる様子に驚いているようだった。

食堂まで来た。あ、と薫が飛鳥に気づいた時には、すでに飛鳥が走り寄ってくるところだった。

「直紀先輩、おはようございますっ。英先輩も、薫先輩も」

とってつけたように薫と吾田にも挨拶をする飛鳥だ。わかりやすくて薫が笑いそうになると、直紀が素っ気なく言った。

「おはよう。朝からなんだ」

「朝ご飯、一緒したくて待ってましたっ」

「遠慮してくれ」

「えーっ。一緒にご飯食べるのも駄目ですか⁉　英先輩もいるのにーっ？」

「飛鳥」

「……っ」

直紀が静かに言った。けれど眼差しは恐ろしく冷たい。飛鳥はビクッと身をすくませたが、すぐに笑顔で、はーい、と言った。

「じゃあまた今度、一緒してくださいねっ」

「ああ、そのうちな」

「はーいっ」

元気に答えて飛鳥は走り去っていく。冷たくされてもめげない強さはすごいなぁと薫は思う。直紀に引きずられるようにしてテーブルに着くと、直紀はやっぱりムッとした表情で言った。

「朝食もらってくる。薫はここで吾田と座ってろ」

「僕の分は自分で取りに行くよ」

「座ってろ。吾田は洋定食、和定食？」

「ごはんプリーズ」

「わかった。薫のことよろしく」

そう言ってカウンターのほうへ行ってしまった。ほっとため息をこぼす薫に、吾田が苦笑して言う。

「過保護だと思うかもしれないけど、今朝は本当に顔色悪いぞ、王子」

「睡眠は足りてるはずなんだけど……」

「じゃあもうちょい、睡眠取ることだね。そうしないとあいつの過保護が暴走して王子を監禁しかねない。それにしてもあいつ、王子に朝食メニュー聞かなかったろ。いいの？」

「あ、僕は朝はいつもパンなんだ。直紀もそれは知ってるから」

「あ、ですよねー。夏休み、実家帰るの？」

「んー、どうしようかなって思ってるんだ」

吾田がいろいろと話を振ってくれる。それは直紀の代わりと言うよりも、薫やほかの生徒たちが、直紀の不機嫌オーラにそわそわしていることへのフォローだと薫は思った。

（なんで直紀が不機嫌だとみんなピリピリするのかな……）

直紀がいない今、吾田に聞いてしまおうと思ったが、タイミング悪く直紀がトレイを三枚、曲芸のようにして運んできた。薫は目を丸くした。

「危ないよ、直紀っ」

「俺がやる。王子は座ってな」

手伝おうと席を立とうとした薫を制して吾田が直紀に手を貸した。直紀はいつものように丁寧に薫の前に洋定食の載ったトレイを置いてくれた。ミルクたっぷりの紅茶とオレンジジュースもちゃんと取ってきてくれた。

「薫、食欲はあるか？　食べられそうか？」

「あ、うん、食べるよ」

　気遣ってくれるのもいつもどおりだが、表情はむくれているし声も低い。吾田は微苦笑をするし、そろりと周囲を窺ってみると、みんなチラチラと直紀を見ている。二列向こうのテーブルからは飛鳥が、なぜか笑みを薫に向けていて、近くにいた御園は視線を落としてニヤニヤしている。まるで直紀を怒らせて大変なことになったねと言われてるようで、なんとも気分が悪いし、ほかの生徒たちも変に萎縮していて申し訳なかった。

（僕が寝坊したから……。このままじゃ駄目だよね）

　吾田から、夏休みに帰らない生徒のために学院が用意している様々なプログラムのことを聞きながら朝食を終えると、今度は吾田が三人分のトレイを返却しに席を立った。直紀と二人きりになった隙に、薫はこそっと小声で言った。

「直紀。ちょっと二人だけになりたいんだけど」

「具合悪いのか？」

　直紀の表情がサッと緊張する。心配させてごめんと思いながら、薫は小さく首を振った。

「具合は悪くないよ。そうじゃないんだけど……」

「わかった。部屋に戻ろう」

「え、でもそしたら授業に間に合わなくなるよ」

「一コマ受けなくても薫なら問題ないだろ？」

「そういうことじゃなくて、サボるのは……」

「授業なんか。薫のほうが大事に決まってるだろう」

「あの、でも……」

「うん、食べたら少し顔色よくなった。薫を守るために慧総に連れてきたのに、過労で倒れさせたら甘利のおじさんにも顔向けできないしな」

「……うん……」

薫はうなずいてうつむいた。自分はたぶん、直紀にとって重荷になっている。直紀自身はそう思っていないかもしれないが、実際にこうして授業をサボらせるようなことを自分はしている。

（絶対に守るっていう直紀の言葉が嬉しかった……。なにがあっても味方でいてくれるって、そういう意味だと思ってた……）

けれど直紀は味方でいるどころか、薫の全部を背負うつもりでいた。そんなことを望んではいない、とは思うことすら傲岸だとわかる。志青にいた時のあの状況から助けてくれと言われたら、正義感の強い直紀ならこうするだろうと、察しなければならなかった。

（だからちゃんと言おう。僕たちはお互いをよくわかっているから、言葉で確認することを怠ってきた。でもそれじゃいけない）

薫は唇を引き締めると、直紀にいたわるように肩を抱かれながらテーブルを立った。ちょうど戻ってきた吾田に直紀が言う。

「一限、サボる」

「ほーい。俺は知らぬ存ぜぬですわ」

「そうしてくれ。薫、行こう」

「うん。吾田くん、ありがとう」

「礼はいらないよ。王子とも長い付き合いになると思うから、小さな恩をコツコツ積み重ねてるだけで。将来返してもらうつもりだからな」

「返せたらいいけど」

笑いどころのわからない冗談が面白くて薫はクスクスと笑った。ひらひらと手を振る吾田に見送られて食堂を出る。直紀は薫の肩を抱いたままだ。校舎ではなく寮棟へ向かう二人に、おそらく食堂中の生徒から視線を向けられているはずで、ここまで注目される自分たちに薫はちょっとゾクッとしてしまった。

寮棟に戻る。なにかの書類を持ったハウスマスターがちょうど出入り口前を歩いていて、戻ってきた二人に驚いた表情を見せた。

「どうした、甘利の具合が悪くなったのか」

「あの、……」

「はい、少し。ちょっと休ませようと思って戻りました」

答えようとした薫を遮って直紀が言う。ハウスマスターは心配そうな表情で言った。

「甘利、無理したら駄目だぞ」

「はい……」

うなずいた薫はスッと青ざめた。寮室の翼に入ってから尋ねる。

「直紀……、ハウスマスターも知ってるの……？」

「噂は耳に入ってるだろう。薫は持病を持ってて体が弱いって」

「あ、そういうことなのか……」

薫はホッとしたが、直紀は逆に表情を険しくした。薫の部屋に入ると、直紀はしっかりと鍵をかけて薫をベッドに座らせた。直紀も隣に腰掛け、薫の手を優しく握って言った。

「横になるか？」

「ううん。具合が悪いわけじゃないよ、話したいことがあって……」

「本当は授業休んで睡眠取ったほうがいいんだけどな」

心配を口にするが、直紀の目は寝ていろと命じるように険しい。けれど薫はうなずかなかった。そっと直紀を見つめて言う。

「直紀、ごめん……」

「なにが」

静かな口調だが怒っていることはよく伝わってくる。薫は視線を逸《そ》らさずに言った。

「今朝、薬のこと忘れるくらい寝坊して……寝不足だって、認める……」

「……」

「これからは今までどおりの睡眠時間を守るから……。ちゃんと自己管理するから、あの、やるから……心配かけて、ごめん。だから、機嫌直してほしいんだ……」

「機嫌……？」

「僕にだけ不機嫌ならいいよ、でもみんなにまでイライラをぶつけないで……。みんな直紀の様子にピリピリしてるよ。僕がちゃんとしてなかったことは謝る、心配かけてごめんね。だから機嫌直して……」

「機嫌とかじゃないっ」

直紀の考えを理解していない薫にカッとしたのか、ふいに直紀は声を荒らげた。驚いた薫が一瞬身をすくませてしまうと、いきなり肩を摑まれて引き寄せられ、気づいた時には直紀の胸の中に抱きしめられていた。

（え、なに……？）

勉強を見てもらった時など、部屋を出る間際にはいつもハグをされる。でも、こんなふうにきつく抱きしめられたことなどない。一体どうして、と混乱した薫が無意識に体を緊張させると、それを怯えと取ったのか、直紀はいっそう強く薫を抱きしめた。

「薫の寝不足も薬の飲み忘れも、俺がフォローすればいいだけだっ。俺が苛立《いらだ》ってるのは、そんな細かいことじゃないっ」

「直紀、直紀……」

「いいか、薫」

直紀は抱擁をとくと、薫の両肩を摑んで真っ直ぐに目を見つめてきた。

「ここは男子校だ。しかも全寮制だ。それがどういうことかわかってるか⁉」

「どういうって……」

「万が一、薫がヒートしたらどうなるか、わかってるかって聞いてるんだっ」

「……」

はっきりと言葉にして突きつけられて、初めて薫は想像した。志青で最初のヒートが起きた時は体力測定の最中だった。校庭に散っていた生徒たちから寄せられた、あのギラつく視線。たぶん学年の半分にも満たない人数だったと思う。中には彼氏、彼女のいる級友もいた。恋人がいても、薫のフェロモンで欲望を引きずり出されるのだ。もしも、もしも万が一、ここでヒートしたら。寮でも、食堂でも、校舎でも、職員まで含めたら千人ほどのほとんどの雄から、雌として狙われる。本能をむき出しにして、自分の遺伝子を残そうと雌……薫を奪いにかかるだろう。雌を得られるのは強い雄のみ。まさか人間が、と思うが、精神が未成熟な思春期、それも最も性欲の旺盛な年代の彼らは、薫を独占するために諍《いさか》いを起こすかもしれない。

怖い――。

それは彼らのことではなかった。白井言うところの、しばらく残り香が消えないほど濃厚な香りのフェロモンを放つ自分が、だ。

「直紀……」

やっと起こりうる事態を想像して薫はふるえた。直紀は忌々しそうな表情でため息をこぼすと、薫の肩を摑む手に力を込めて言った。

「俺は絶対に薫を守る。そのためにあらゆる手を打った。俺の未来は薫の安全のために使うと決めた」

「どういう意味……」

「ここでなら安全だって言ったのは、俺がみんなをコントロールできるからだ。だけどそれは、みんなが通常の状態、つまり理性がある場合だ」

「それって……」

「薫がヒートを起こしてみんなが理性を失ったら、俺だって全員は抑えられない。そうなったら自分がどういう状況に立たされるのか、きちんと理解しておいてくれ。自分がオメガだってことをいつも意識して、もっと危機感を持て」

「……僕が、オメガだから……ここに、呼んだの……？」

「当然だろう。薫がオメガじゃなかったら、ここまで保護しない」

「……うん」

薫は笑みを浮かべてうなずいた。直紀に言われたことがあまりにもショックすぎて、だけど悲しいのか悔しいのか、それとも腹が立っているのかわからないくらい混乱していて、それを隠すために微笑を浮かべてしまったのだ。

（僕が、オメガだから……）

たしかに慧総に来てから、志青にいた時のような好奇と侮蔑の視線からは逃れられた。みんな薫がオメガだということを知らないからだとわかっている。それでも、志青でのあの日までと同じように、みんな薫をただのクラスメートとして扱ってくれた。アルファやベータやオメガ、そういった性差を気にする必要もなく、穏やかな気分で本当に楽しく日々を過ごせた。

（だけど直紀は、親友だから居心地の悪い志青から慧総に移れと言ったんじゃなかった……）

直紀が薫のことを親友だと思ってくれていることはわかる。大切な奴だと思ってくれていることも。けれど直紀はそれ以上に、薫のことをオメガだと……親友の薫ではなく、親友のオメガだと、そういう意識でずっと接していたのだと知ってしまった。

（僕を心配してくれてるのは本当だとわかる。でも）

『薫がオメガじゃなかったら、ここまで保護しない』

　直紀は薫を、親友としてよりも、弱者として見ているのだ。

（正義感、強いもんね……）

　また薫はほほ笑んだ。胸が痛んで泣きそうだったからだ。みんなが顔色を窺うほど不機嫌を隠そうともしない直紀の、過剰なほどの気遣いは、親友としての薫が大事だからでも、薫がほのかに期待した恋心からでもなかった。

（予想は外れたよ、白井。直紀は僕に恋をしない。するのは保護だ）

　それは薫もよく知っている直紀の姿だ。いつでもどこへ行ってもリーダーで、みんなを引っ張る。ただ、自分にだけは先を行くのではなく、肩を並べて歩いてくれるのだと思っていた。

　薫は静かにゆっくりと深呼吸をすると、今度は意識して笑みを作った。

「ごめんね。これからはちゃんと気をつける。ここで勉強や生活するのが楽しくて……、本当に毎日楽しくて、僕がオメガだってこと、意識するの忘れてた。でもこれからは体調管理を優先するから」

「そうか。わかってくれてよかった」

「朝も部屋まで迎えに来なくていいからね」

「え……」

「ちゃんとできるってところを見せたいから。食堂で会おうよ」

「……薫がやってみたいなら、試しに何日かやってみようか」

「試しにって、ちゃんとできるよ。実家にいた時も自分で起きてたんだから。これからは睡眠ちゃんと取るから」

「わかった」

直紀はホッとしたように、やっと微笑を見せてくれた。薫も作り笑いを返してうなずいた。

「成績落ちても友達でいてくれる？」

「薫ならAから落ちることはない。俺と同じタイプだろ？　勉強については要領と飲み込みがいい」

「勉強についてはって、そのほかが駄目みたいじゃない」

「駄目とは言わないけど、薫はおっとりしてるからなぁ。まあ歯ブラシとか石けんなんかは俺がフォローすればいいだけだけど」

「まだ言う？」

薫は顔を赤くして直紀を睨《にら》んだ。噴き出したあと声を立てて笑う直紀を見て、この快活さを奪っていたのは自分なのだと思った。

（あんなに言われてたのに睡眠時間削って、薬も飲み忘れて……直紀がいなかったら本当にヒートを起こしていたかもしれない）

自分自身にも周囲にも無責任なことをしていた自分に、直紀が恋愛感情など抱いてくれるはずがない。自業自得だと薫は思い、涙をこぼす代わりにほほ笑みを浮かべた。

夢を見ていた。

小学六年の時の夏休みだ。塾の夏期特訓の合間の三日間の休日に、直紀の家の別荘に行った。あと半年したら直紀は慧総に行き、志青の中等部に進む薫とは別れることになる。べつにそのあと一生会えなくなるわけではないし、慧総だって同じ関東だ。休暇のたびにすぐに帰ってこられる。それでも互いの実家にちょいちょいと顔を出して一緒にゲームしたり、あるいは朝家を出た時におはようと言い合い、塾からの帰りに家の前で別れる時はまた明日ねと言ったり、そうしたことは中学どころか、大学に進んでも社会人になっても変わらないと思っていた。それができなくなるというのは、二人にとって、一生離ればなれになるくらい大きな出来事だった。

だから二人きりの小旅行……お手伝いさんや運転手さんは一緒だが親がいないと言う意味での二人きりの旅行は、二人で過ごす最後の休みであり、これからは二人一緒にはいられないのだと覚悟を決める儀式のような意味もあった。

ちょうど流星群が見られる日で、その夜は全身に虫除《むしよ》けスプレーを噴きかけまくってから、あたりの林を見下ろせるデッキに出てデッキチェアに寝転がって夜空を眺めた。空の右上から左下へ向かって数え切れないほどの流星が見えた。燃えた塵《ちり》が大気を切り裂くビユウゥッという音まで聞こえた。

「すっげーっ。音が聞こえたってことは、結構近くまで塵のまま落ちてきたってことだよなっ」

直紀が興奮気味に言う。薫も目を輝かせてこくこくとうなずいた。

「燃え尽きないで地上に落ちると隕石《いんせき》になるんだよね⁉　すごいね、大気圏の向こうに宇宙があるんだって、すごい実感するねっ」

「ヤバい、感動するっ」

初めて実際に目にする流星にはしゃいであれこれ喋っていたが、いつのまにか言葉数が減っていく。黙って流星を見ていると、直紀との思い出が次々と燃え落ちていくような気になって、薫は涙ぐんでしまった。その時、ふいに直紀が口を開いた。

「中高離れてたって、薫は俺の親友で、ライバルで、そんで一番大事な奴だから」

「うん……っ」

「六年なんてきっとすぐだよ。大学は家から通うし、そしたらまた薫と一緒だ」

「うん、うん……っ」

「離れてたって薫が一番大事なのは変わらないし。大人になってもそうだし」

「うん、僕も……っ」

「だから大丈夫だよ。学校が違っても住むところが離れても、俺たちの親友パワーはなくなんないからさ。マジで俺にとって薫は一番大事な奴だから。ホントに、ずっと」

「……っ」

「手をつないでやるから泣くなって。ほら」

　差し出された直紀の手をぎゅっと握る。直紀はヒヒヒッというような妙な笑い声をこぼした。

「幼稚園の時と変わんないな。園で飼育してた金魚が死んだ時、泣いてさぁ」

「だって……」

「小学部に上がってからも、アリンコ虐殺してる奴に注意したけど聞いてくれないって言って泣くし、体育の時は、薫のこと好きな女子の名前を連呼されるっていう、罰ゲームみたいな応援されて泣くし」

「友達の前じゃ泣かなかったよ……」

「うん。俺に話してくれてる時に泣き出すんだよな。みんなの前では泣かない薫は偉いなって思ったよ」

「恥ずかしいじゃん……」

「だから俺は嬉しかった」

直紀はつないでいる手にぎゅっと力を込めて笑った。

「これからも泣きたくなったらなんでも俺に言えよな。手紙でもいいし、休みには帰ってくるしさ」

「うん……」

「薫が困ったら、俺すぐに帰ってくるから、大丈夫だよ。俺も頑張るから薫も頑張れ。薫が俺の親友でライバルで一番大事な奴っていうのは永遠不滅だからなっ」

「うん……っ」

ビュッと音がして、ひときわ大きな光の尾を引いて星が流れた。親友でライバルで一番大事な奴の永遠不滅の約束を、流星に願ったみたいだ。だからきっと大丈夫……。薫は涙を引っ込めて、直紀の手を強く握り返した――。

ヒック、と呼吸が引きつったことで薫は目覚めた。

「……参ったな……夢か……」

目尻から耳のほうまで涙で濡れている。ベッドに横になったままぼんやりと天井を見つめた。どうして小学生時代の夢なんか見たのかと思う。

「心配することなんかなんにもなくて、ただ毎日が楽しかったからかな……」

そう考えて、いや、違うな、と思った。

「永遠不滅の、親友でライバルで一番大事な奴でいたからだ……」

その関係が、今は崩れたからだと思う。直紀は今でも薫のことを一番大事だと言ってくれる。けれど、もう親友でもライバルでもなくなった。直紀に聞いても、そんなことはないと言うだろうが、薫は皮膚感覚でそれを理解している。

「僕は直紀にとって、保護しなくちゃならない弱い立場の人間、なんだよね……」

もう対等ではない、ということだ。恋は、少なくとも自分と対等に付き合える人とするものだと薫は思っている。支配したい、服従させたい、あるいは依存したいと思う相手とは恋にならない。ましてや保護してやらなければ、と思っている相手とは。

「僕はもう、恋愛の対象として、直紀の眼中から外れている……」

白井の冗談を真に受けて期待していた自分が悲しい。もしも……もしも自分がオメガではなかったら。直紀の背後で守られる存在ではなく、直紀と並んで歩いて行けたら。

「好きって……言えたのにな……」

永遠の片思いだ。しかも気持ちを悟られてはいけないほどの。

「だって好きだって言ったら、直紀はきっと、保護の延長で僕と付き合うことにすると思うし……」

そんなのはみじめすぎるし、直紀の将来も台無しにしてしまう。だから絶対に気持ちを悟られてはいけないと思う。そう遠くないうちに直紀は誰かを好きになって、恋人を作って、そしていつか結婚するだろう。そうなれば直紀への思いも振り切れるだろうかと思う。

「……」

そんなことを考えていたらまた涙があふれてきた。ちょっと距離ができた今でさえ、すでに悲しいのに。

そう。朝は食堂で会おう、と言ってから、直紀は過保護を取りやめた。朝は食堂で会って一緒に食事をして、校舎へも一緒に行く。けれどあとはほとんど別行動だし、なにより直紀は今までのように必要以上にそばに来ることはなくなった。薫を視線で追ってはくるが、用事がなければそばに来ないし声もかけてこない。その視線も、わずかに眉間にしわを寄せての眼差しだった。直紀にしてみればイライラするほど呑気だった薫の代わりに、あらゆることに気を配ってくれていた直紀の親切を、やんわりとではあっても拒否したことへの、たぶん怒りの気持ちがあるのだろうと思う。

（それに、飛鳥くん……）

食堂から校舎へ向かう時も、校舎から寮棟へ帰る時も、これまでと同様に直紀がそばにいる。けれど会話はめっきり減った。日常の挨拶と、体調は、と直紀が尋ねてくる以外、話を振ってこない。薫も挨拶と、体調はいいよ、と返事をするだけで、沈黙が気まずくても振れる話題がない。歩いていると腕がふれるほどの距離だが、端から見ても二人の間に見えない距離があることがわかる。そこに飛鳥がひょいと入り込んできた。

　さすがに校舎は中等部と分かれているから授業時間中はないが、それ以外は、食堂へ向かう時、食堂での食事中、放課後は寮へ戻る時にも、飛鳥は直紀にべったりとくっついていた。空気を読むのがうまくて、最初の頃のように薫を邪魔者扱いはしない。それどころかせっせと薫に話しかけてくる。まるで不機嫌な直紀をフォローするように薫に気を遣っている……、そう見えた。つまり、現状、直紀は薫よりも飛鳥と親密だと思われている。

「……吾田くんは、気にするなって言ってたけど……」

　吾田と同じ選択科目の時、変な噂はスルーしろと言われた。変な噂って？　と聞き返した薫に、吾田はにやりと笑って、王子の座が交代したとか、はたまた直紀は飛鳥に王子の代わりをさせようとしてるとか、そういう噂、と教えてくれた。聞いた薫は苦笑して、いろいろ言われるのは馴れてるから、と答えた。けれど本当はドキリとしたのだ。

「直紀と飛鳥くん……、付き合ってるみたいに見えるのかな……」

　呟いたらまた涙がにじんできた。そんなことはないと思っているが、直紀が誰と交際しようとも、いやだと言うどころか悲しむことも自分には許されていないのだと思う。

（こんなに直紀のことが好きなのに……）

オメガだから。保護する対象だから。直紀は決して薫とは恋に落ちてはくれない。

これ以上泣いたら目が腫れて直紀にいらぬ心配をさせてしまう。涙を拭ってベッドから身を起こした薫は、宮に置いてある目覚まし時計を見て、え？　と声を出した。

「嘘、寝坊した⁉」

いつも七時半には食堂のテーブルに着いていたのに、時計は七時十五分を指している。薫はベッドから飛び降りた。

「ちゃんとできるって言った先からこれ……っ、直紀に失望される……っ」

好きな人からがっかりだという目で見られるのは耐えられない。急いで身支度をすると寮棟を飛び出した。

「もうっ、いちいち建物が離れてるんだから……っ」

広すぎる敷地が恨めしい。外にほかの生徒は誰一人おらず、薫の焦りはますます高まる。ここから食堂まで走れば五分もかからないだろう。直紀から絶対に走るなと言われているが、歩いていたら授業に間に合わない。だからといって朝食を抜かしたら、それこそエネルギー切れで体調がおかしくなるかもしれない。

「持久走じゃないし、たった五分だし……っ」

薬は起きてすぐに飲んだ。きっと大丈夫と思って走る。七月に入って一週間ばかりだが、昼頃には三十度に達するだろうと思われる気温だ。すぐに汗がにじんだ。

食堂は食事スペースの一階と二階が全面ガラス張りだ。直紀との間に微妙な空気が流れるまでは、カウンターに近くて冷房がよく効いている、いわば特等席で食事をしていた。けれど今は、先に食堂に行った直紀が、寮棟からの通路が見える壁際の席で薫の到着を見守る、という状態になっている。今朝も同様で、薫が直紀に目を向けると、直紀は立ち上がっていて、走るな、という身振りをした。

「あ、大丈夫」

小声で言いつつ、大丈夫だよという身振りを薫も返す。けれど直紀はテーブルを離れると出入り口へと向かったのだ。

「まずいなぁ、怒られる……」

表情はよく見えないが、確実に険しいだろう。走るな、と怒られるだけならいいが、やっぱり一人ではちゃんとできないじゃないかと説教されるのはきつい。薫は目覚ましなしで毎朝きっちり定刻に起きていたが、このところの寝不足で疲れが溜まっていたことと、直紀との妙な不和で気持ちも疲れていて、それで寝過ごしたのだと思う。けれど今日の寝坊で、これからは毎朝目覚まし代わりに直紀が起こしに来ることは予想できた。

（僕を起こして、起きたの確認したら、また別々の行動……）

想像しただけでつらい。

食堂からは、朝食を終えて校舎に向かう生徒たちがぞろぞろと出て行くところだ。みんながちらりと薫を見て目を見開いた。体力測定でさえ欠席した薫が走っているので驚いたのだろう。寝坊を宣伝しているみたいで恥ずかしいと薫は思った。

軽く息を切らせて食堂に入る。向こうから歩いてくる直紀を見て、薫は足を止めた。

「ごめん、寝過ごして……」

「急に立ち止まるな。呼吸が整うまで外を歩け。俺も付き合うから」

「でも早く食事しないと授業に……」

そう言った時だ。ドク、と一つ、心臓が大きく跳ねた。体の芯が凍ったかと思うほど急激に体が冷え、次の瞬間にはカッと顔が熱くなり、その火照りが瞬く間に全身に広がった。

(ヤバい……っ)

この身体反応には覚えがある。忘れたくても忘れられない、二年前のあの日と同じ。

ヒート──。

どうして、と激しく動揺したのと同時に、腹の奥がグズリとうずいた。あ、と思った薫の背筋に寒気が走る。尻の狭間《はざま》にぬるりとした感触を覚えた。自分の体の反応なのにおぞましくて立ちすくんでしまった薫は、校舎へ向かっていた生徒たちから、あるいはまだ食堂に残っていた生徒たちから、一斉に視線を浴びて硬直した。熱のこもったギラついた目。

薫の意思を無視した肉体が、生徒たちから、雄の欲望を引きずり出した。

(怖い、怖い、怖い……っ)

性の対象として見られるだけではなく、ここまであからさまに雌を狩るという目で見られることが、本当に怖い。それなのに薫の体は視線を浴びれば浴びるほど熱くなり、トクンと粘液をあふれさせる孔《あな》は、雄を喰《く》らいたくてたまらないというようにズクズクとうずくのだ。

（いやだ、いやだ、直紀じゃないといやだ……っ）

薫を凝視する生徒たちが、ジリ、と距離を詰めてくる。薫のすぐ横にいた生徒が、舌なめずりでもしそうな笑みを浮かべて腕を伸ばしてきた。

（怖い……っ）

思わずしゃがみ込みそうになった時、その腕を乱暴に払う者がいた。ハッと前を向くと、直紀だった。直紀は力強い腕で薫を引き寄せ、胸に抱き込んだ。

「薫にふれるな」

直紀が言った。怒鳴ったわけでも大声で言ったわけでもない。けれど生徒たちがみんな、怯んだように動きを止めた。直紀はゆっくりとみんなを見回して言った。

「薫に近寄るな。薫は俺のものだ」

沈黙のざわめきとでもいうのか。怒りや悔しさ、驚きや諦め、そういった感情が渦を巻いているように感じる。まるで群れのリーダーに獲物を独占された獣たちのようだ。

（俺のものって、どういう意味……）

保護下にあるという意味には取れない。暴走する肉欲とそれを嫌悪する気持ちとで混乱する薫を、直紀は抱きかかえるようにして食堂を出た。

「……歩けるか」

「ん、うん……っ」

「寝過ごすほど疲れているのに走ったりするからだ。きちんと薬を飲んでいたって、代謝は体調に左右されるんだ。甘利のおじさんからちゃんと説明されてるだろう?」

「……ごめんなさい……」

直紀の声も怒りを孕んでいる。直紀は薫を守るために慧総に呼んでくれた。そして事実、守ってくれた。だが、薫さえもっと注意を払って生活していれば起こらなかったヒートだ。直紀の管理が息苦しくて、自分でちゃんとするからと言ったのに……。

(怒るのも当たり前だよね……)

情けなくて涙が出そうだった。

直紀はゆっくりと歩いてくれるが呼吸はどんどん速まる。体もますます熱くなり……抱きかかえてくれる直紀の体臭を嗅いだら、ますます体がうずいた。孔からあふれた粘液が、今や腿まで濡らしている有様だ。最低だ、と思う。助けてもらったのに、直紀に欲情している。

寮棟に入り、二階に上がる。部屋に連れていってくれるのかと思っていたが、直紀は出入り口のちょうど上、セーフルームに薫を連れ込んだ。直紀が扉を閉めた瞬間、耳に圧力を感じた。気密性が高いのだ。薫をベッドに座らせた直紀が、手際よく枕を積んで背もたれを作ってくれる。

「落ち着くまで横になってろ」

「うん……」

荒い息をつきながら枕の山に背中を預けた。横になるよりも体が楽だ。これが薫だけに見せる気配りだったら嬉しいと思うが、直紀はきっと、具合の悪い人がいたら誰にでもこうするのだろうなとも思う。

体中が汗で濡れていて気持ちが悪い。真夏にサッカーでもやったような感じだ。ただし、雄を喰らいたくてたまらない、という情欲さえなければ。直紀は眉間にしわを寄せた不機嫌そうな表情で、薫のネクタイとシャツの首元を緩めた。

「薫、セルインよこせ」

「あ……、僕の、部屋……」

薫が答えた途端、直紀が舌打ちをしそうな表情を見せた。しまった、と思った薫は、身をすくませて謝った。

「ごめん……、寝坊、して……部屋に、置き忘れて……。ホント、緊張感なくて……、迷惑かけて、ごめん……」

「迷惑とは思っていない。だから謝るな。言っただろう、薫のことは俺が守るって。とりあえずスポドリ飲んでろ。発汗がすごい」

直紀が冷蔵庫からスポーツドリンクのペットボトルを出して開け、手渡してくれる。ふるえる手で受け取ると、直紀はサッと薫から離れ、ドアに寄りかかって腕を組んだ。

「こうなったらヒートが治まるまでこの部屋にいるしかない。つらいだろうが頑張ってくれ」

「いるしかないって……」

「心配するな、中から鍵をかけたら外からは開けられない。俺がセルインを取りに行ったとしても、薫が鍵を開けられなくちゃどうしようもない。それに、……」

「あ、開けるよ……ドアのとこに、いる……」

「……それに、外に生徒たちがいたら、俺がドアを開けた途端、押し入ってくるだろう。そこまで理性を失ってる奴には俺の言葉も届かない。どうなるかわかるな？」

「……うん……」

「だからセルインは取りに行けない。薫のヒートが治まるまで、ここに籠もるしかない」

「でも、ヒート、治まるの……一週間、くらい、かかるって……」

細い声で薫は言った。横になっているのに走っている時のように呼吸がつらくなってくる。横を向いて体を丸めたいが、今でさえ尻からはよだれを垂らすように粘液があふれて出ている。おそらくもう、ズボンにも染みているはずだ。そんな恥ずかしい有様を直紀に見られたくない。枕に寄りかかったままなんとか呼吸を整えようと深呼吸を繰り返す薫に、ゆっくりと直紀は言った。

「七日くらい、ここで過ごせるよ。水も食べ物もある。シャワーしかないが、トイレもあるしな」

「……どうして学校に、セーフルームがあるの……？」

なんとはなく怖く思って尋ねると、そんな思いを読んだように、直紀が真っ直ぐに薫を見つめて言った。

「慧総に来て、一番最初に教えただろう。過剰なまでの防犯装置は、侵入者を防ぐだけじゃなく、中からの逃亡者も防ぐためだって」

「逃亡って……」

「ここは思春期の男ばかり、八百人ちょいが閉じ込められている。喧嘩は日常茶飯事だ。学院の外だったら傷害事件になるほどのこともある。いわゆるリンチだ。その中には性的暴行も含まれる。学院はそれをすべて、喧嘩と言っているけどな」

「……」

薫が上気した顔を引きつらせる。直紀は口元を歪める笑みを浮かべてうなずいた。

「ちょっと想像すればわかるだろう？　やりたい盛りの男ばかりが閉じ込められてるんだ。

そういう事件の被害者はもちろん、加害者も、学院から逃がさないための防犯装置なんだ。学院で起きた不祥事は、絶対に外に出さない。学院内で処理するためにな。だからこの部屋がある」

「……オメガが、ヒート……した時の、ため……？」

「そう。生徒だけじゃない、教職員だってオメガの色香に狂う。ヒートしたオメガを隔離しなければ、学院が崩壊する」

「……」

隔離。その言葉に薫はひどく傷ついた。学院を混乱させて、崩壊までさせるオメガは、悪なのだと、突きつけられたようなものだ。そして、そういうことをためらいもなく言う直紀もそう思っているのだ。

（僕が迷惑かける存在だから、直紀は保護しようって、思ってくれたのか……）

幼なじみの情とリーダーの性分から。

気がついたら涙がこぼれていた。薫は慌てて涙を拭い、小声で言った。

「ごめんね……」

「謝るな。オメガってこともヒートも薫のせいじゃないだろ」

「……」

「とにかく一週間、頑張れ。俺もそばにいるから」

「ん……」

直紀がそばにいてくれる。嬉しいけれど、それは薫への好意からではなく、薫を守るためだという正義感からだと思うと寂しい。また泣きそうになって、それを隠すために慌ててスポーツドリンクを口に運んだ。

「……苦し……」

体が燃えるように熱く、止めどなく汗が出てくる。下腹全体がズクズクして、いやらしい液を垂れ流している孔など、刺激が欲しくて痛むほどうずいている。雄が欲しい、犯してほしいとわめく体をねじ伏せたくて、身をよじりたくなる。けれど動いたらそれが刺激となって、もっとひどい情欲に襲われるという直感があった。

（こんな、ひどいなんて……）

中学の時の初めてのヒートなど、お試し体験レベルだったと思う。熱いのも汗も速い呼吸も我慢ができる。だがあそこのうずきだけは我慢ができない。今すぐあそこに直紀が欲しいと激烈に思う。いつも一緒にいて、いつも自分を大切にしてくれて、薫が一番大事だと言ってくれた直紀。その直紀の劣情を煽り、ただの獣に堕《お》として喰らい尽くしてやりたい。想像しただけで体にふるえが走るほどの快楽を感じた。その一方で、肉欲を求める自分を嫌悪する気持ちがある。

薫は直紀に恋をしているが、直紀はそうではない。自分にまったく恋愛感情を持っていない直紀を、自分が快楽を得るための道具にするなんて、絶対にいやだった。その時は喜びにふるえるかもしれない。だがそのあと、後悔で絶望することはよくわかっていた。

（あ、あ……、直紀、欲しい……、駄目、駄目だ……、ああ、直紀、直紀……）

直紀に助けてもらいたい気持ちと、直紀を犯したい気持ち、二つが自分の中で渦を巻いて頭が変になりそうだった。

（駄目だ、直紀は……）

ただでさえこんな姿を見せて恥ずかしいのに……。また涙をにじませた薫は、ふと、どうして直紀は平気なのだろうと思った。白井言うところの、濃厚で残り香さえもなかなか消えないという薫のフェロモン。さっきだってほんの数秒でほとんどの生徒の肉欲を最大限まで引きずり出してしまった。なぜ直紀は平気なのか。

（ヒートしていてさえ、僕にはただの保護の感情しか持てないから……？）

潤んだ目を直紀に向ける。相変わらずドアに寄りかかって腕を組み、眉を寄せた険しい表情で薫を見つめている。社会に混乱をもたらす存在になってしまった薫を迷惑に思っているのだろう。

それならいっそ、ともう一人の自分が囁く。どうせ迷惑がられているのなら、もっと迷惑をかけてしまえ……。

ただれた心の声にそそのかされた薫の視線が、そろりと直紀の下半身へと移る。

（あ……）

薫の喉が無意識に上下した。直紀のそこは、制服のズボン越しでもはっきりとわかるほど興奮していた。直紀が自分に欲情している……そう知った途端、抑えがたい感情が渦を巻いた。今なら直紀を自分のものにしてしまえる。そう思ったら理性が欲望に覆われた。体の熱がさらに上がる。けれど呼吸は落ち着いていった。極上の獲物を前にして喰うことだけに集中していく。

「直紀……」

猛毒のフェロモンを直紀に噴きかけるように、囁き声はひどく甘くなった。わずかに浮かべた笑みも、色香を垂れ流し、完全に雄を誘うものだ。直紀が怯んだように体を揺らした。乾いた唇をちろりと舐《な》めて薫は言った。

「直紀、興奮してるね……」

「……当たり前だろう」

怒ったような口調だったが直紀の声はわずかにふるえていた。

「薫と二人きりでセーフルームに閉じ込もってるんだ。興奮しないわけがない」

「そうだね。ヒートしてるオメガに抗《あらが》えるアルファなんていないよね」

薫の声は優しかったが、まるでアルファを、直紀を支配できるのだというような言い方だ。直紀は強い眼差しで薫を見つめ返してきたが、薫がとろけるような笑みをぶつけると視線を外した。勝った、と薫は思い、ふふふと笑った。友愛であれ情愛であれ、愛のつく感情を持っていれば、視線を外したほうが負けだ。これまでは薫が負けていた。直紀に対して折れ、直紀の意見を聞き入れていた。けれど今は違う。たとえ今だけだとしても、直紀を支配できるのは自分だ。

「直紀、こっちに来て……」

「……駄目だ」

「お願い、直紀……助けて……」

「セルインを取りに行くことはできない。頑張ってくれ、薫」

「そういうことじゃ、ないよ……」

直紀は相変わらずドアに寄りかかったまま、眉間にしわを寄せた表情で薫を見ている。ヒートしたオメガと二人きりで密室にいるのに、意志で本能までねじ伏せる直紀の強靱《きょうじん》な精神力に驚愕《きょうがく》した。同時に心がふるえた。これが直紀だ。強い、強い雄。

薫はわざと音を立ててネクタイを引き抜くと、ゆっくりとシャツのボタンを外しながら言った。

「助けてよ、直紀……体がうずいてたまらないんだ……」

「薫」

「抱いてよ……直紀が欲しくて我慢ができないよ……、見て、ズボンまで濡れてるでしょう……？」

両膝を立て、股を開いて直紀に見せつける。よりいっそう、フェロモンの香りが濃くなる。けれど直紀は首を振るのだ。

「薫。耐えるんだ。今の薫は薫じゃない」

「わかってるよ、ヒートでふつうじゃなくなってるって。でも本当に気が変になりそうなんだ……ビシャビシャに濡れてるところに刺激が欲しいんだよ……」

「薫……」

「直紀がくれないなら、僕……ペットボトルを入れちゃうかも……太いの、欲しくて……。想像しただけで、また濡れちゃった……」

およそふだんの薫からは考えられない、卑猥《ひわい》な言葉だ。だが言葉とは裏腹に、妖《あや》しい笑みを浮かべる薫の目尻から、ツウ、と涙が流れた。それを見た直紀は、顔をしかめると大きなため息をこぼした。

「この状況で泣くか。想定外だ。薫を泣かせるために慧総に呼んだんじゃないのに」

「ねぇ、直紀……」

「くそ、対応を誤った。あんまり薫が綺麗になってて目が眩《くら》んだ。薫だって強いんだ」

「直紀、お願い……抱いて……」

「……」

さらに涙をこぼして薫は懇願する。直紀はもう一度ため息をこぼすと、腕組みをほどいてベッドに近寄った。直紀が抱いてくれる……そう思うと喜びと期待で体がふるえた。直紀は不機嫌そうな表情のままベッドに腰掛け、この期に及んでも冷静な手つきで薫の制服を脱がせた。みっともないほど欲情した裸身が直紀の目にさらされる。また薫の目尻から涙がこぼれた。直紀は指先でその涙を拭うと、自分も衣服を脱ぎ捨てた。あらわになった直紀のそこは、冷静な態度を裏切るように先走りで濡れている。獰猛な大きさ。アルファ特有の形。淫らな笑みを浮かべながらも涙をこぼす薫が、比喩ではなく舌舐めずりをした。

ぎしりと音を立ててベッドに乗り上がった直紀が言う。

「泣かなくていい、薫。わかってる」

「直紀……」

「どうされたい。どうすれば薫の体は喜ぶ？」

「も……入れて、入れて……っ」

興奮で薫の声がかすれた。

「乱暴にして……っ、めちゃくちゃに抱いて……っ」

「……わかった」

直紀は立てられた膝に手をかけると、さらに大きく開いた。

（ヒートしたオメガを抱くのは初めてだからな……）

十分すぎるほど潤っているが、だからといって準備が整っているとは限らない。乱暴にしてくれと請われたが、怪《け》我《が》をさせる気など毛頭ない直紀は、うずいているという言葉の通りにヒクヒクと収縮を繰り返している薫の、シーツまで滴るほど粘液をあふれさせる孔を見つめる。

その卑猥さと抗いがたい濃厚な甘い香りに、直紀は一瞬、くらりとした。犯したい、という欲望で頭がいっぱいになったが、ギリギリのところで相手は薫なのだと意識できた。危なかったと奥歯を噛みしめた直紀は、ヒートは本当にやっかいだと思った。

状態を確かめるために、指を一本入れる。焦《じ》れた薫が、指じゃ足りない、直紀が欲しいと口走る。

「正気のおまえに欲しがられたかったよ」

口の中で呟いて、二本目の指を入れた。孔は柔らかくもいやらしく緩み、なんともたやすく指を迎え入れた。ふ、と直紀はほほ笑んだ。

「……そうか、子供を産めるんだもんな……」

ここまで濡れて熟していれば、男のものくらい簡単に呑み込めるのだ。直紀は指を抜くと膝裏を摑んで腰を上げさせ、薫の望むままにと思いながら一息で薫を貫いた。

「あああ……っ」

薫の口からなんとも艶《なま》めかしい声があがる。自分の中の大きさ、熱さを感じただけでふるえが走るほどの快感を得たが、それが直紀のものだと思うと心も喜びでふるえた。ああ、いい、いい、すごくいい……、そんな言葉が無意識にこぼれ出る。

「直紀、もっと、もっと……うずくんだ、中がうずくんだ、動いて、直紀……っ」

「わかった。深くして入れてほしいのか、それともこすってほしいのか」

「ど、どっちも……っ、乱暴にしてって言ったでしょう、激しくして……っ」

それは薫の命令だ。ふ、と息をついた直紀は薫の腰を抱えると、薫の望むとおりに深くまで犯し、力強く腰を使った。直紀の根元の球形が孔を出入りするたびに、声を抑えられないほどの快感がはじける。アルファの雄だけが与えられる快楽だ。薫は夢中になった。

「ああ、いい、いい、直紀……っ、こすって、もっとこすって、奥までして……っ」

淫らな王子の命ずるままに直紀は薫を犯した。ジクジクうずく孔を直紀のもので摩擦されると、寒気を覚えるほどの快楽が走る。存分にそれを味わっていた薫の中が、さらなる快感を欲して直紀を締めつけ始める。ヤバい、と思った直紀が薫の中から抜き出そうとしたが、淫猥《いんわい》な笑みを見せた薫が直紀の腰に足を絡め、奥深くまで直紀をくわえ込んだ。そうして意識的に孔を締める。

「薫……っ」

「出して……」

囁き声で薫は誘った。

「僕の奥に出して……直紀のあれ、出して……」

「駄目だ……っ、くそ……っ」

抜こうとしても根元が締めつけられて抜けない。本来は雌を逃がさず確実に種を植えつけるための形状を逆手に取られた具合だ。薫の中は淫らにうごめき、じっとしている直紀に抗いがたい快楽を与える。薫もまた、今にも暴発しそうなほど脈打つ直紀を感じる。たまらなくいい。

「ああ、直紀、すごい……いい……」

「頼む薫、緩めてくれ……っ」

「駄目。出して……中に……」

「薫……っ」

我慢なんて無駄なのに、と薫は笑い、下腹に力を込めて直紀をいっそう締めつけた。直紀がビクッと体を揺らしたのと同時に、体の奥に熱いものを感じた。

「あ、あ、あ……っ」

その瞬間、腹の奥から背骨を通り頭まで、しびれるほどの快感が走り抜けた。生殖には意味をなさないというのに、硬く立ち上がっていた哀れなそこから、やはり生殖には無意味な白い液体が放たれ、胸元から腹を濡らした。激しすぎる快楽に薫の背が反り、全身が小刻みにふるえる。直紀の精を奪った。この身に取り込んだ。その喜びと相まって、薫の

肉体は激烈というほどの快楽に呑み込まれた。

長い絶頂感を存分に味わい、満足した体から、ふいに力が抜ける。薫を支配していた肉欲が、潮が引くように消えていく。それとともに薫は自分自身を取り戻した。真っ白だった視界が徐々にあたりの様子を映し、自分を真上から見下ろす直紀の静かな表情を見て、薫は涙をあふれさせた。

「ごめん、なさい……っ、僕……っ」

「大丈夫だ、薫。わかってるから」

「僕、僕は……っ」

「泣かなくていいんだ、薫。言っただろう、わかってる」

「本当に、ごめんなさ……、あ、あ、いやだ、どうしよう……っ」

薫の意思を裏切って、孔はまだ体内にいる直紀を締めつけ、中はねっとりと絡みつく。一度直紀の精を搾取しただけでは、ヒートという淫魔は消えてくれなかった。ごめん、離れて、と泣きながら薫が言うと、直紀が体を倒し、体重をかけないようにしながら優しく抱きしめてくれた。耳元で囁かれる。

「大丈夫だから。薫はなんにも考えるな。俺に任せておけ」

「直紀……っ」

「信じて、薫。ヒートはじきに治まる」

「ん、うん……っ」

気休めなのか、本当のことなのか薫自身にもわからない。それでも直紀を信じようと思った。薫の体が与える刺激で直紀が体積を増していく。体内で直接膨張を感じ取った薫は、たったそれだけでまた、腰がとろけるほどの快感を覚えてしまった。自分が色狂いになってしまったようで、激しい羞恥と恐怖を覚える。離れて、とすすり泣きながら懇願すると、そっと体を起こした直紀が、優しく涙を拭いながら言った。

「薫は離れてくれって言っただろう。でもそうしないのは俺だ。これからすることは俺の意思だ。薫のせいじゃない」

「……っ」

「だからなんにも考えるな。俺を信じて、されるままになっててくれ」

「ごめんなさい……っ」

謝ることしかできなかった。直紀をまるで、自分が快感を得るための道具のように使ってしまった。一週間、ヒートが治まるまで耐えようと思っていたのに、直紀が欲情している様を見た途端、箍《たが》が外れてしまった。

（きっと直紀は僕を軽蔑する……っ）

そう思うと心が凍るほどの悲しみを覚えた。それなのに肉体は直紀を求める。硬く大きくなったもので猛々《たけだけ》しく自分を犯せと直紀をそそのかす。いたたまれずに薫が目をつむって顔を背けると、直紀が軽く腰を揺すった。薫の中でさらに直紀が体積を増す。ヒ、と薫は息を呑んだが、直紀はそのまま動きを止めずに薫をむさぼりにかかった。

「あ、ああっああ……っ」

ゆっくりと深く、あるいは浅く、緩急をつけて直紀に責められる。孔からも中からも鳥肌が立つような快感が湧き起こり、薫の口からははしたない嬌声《きょうせい》がひっきりなしにこぼれた。よくてよくて、けれど感じてしまう自分が恥ずかしくて憎らしい。一度深い絶頂感を味わった体はさらに敏感になっている。直紀が放ってもいないのにこすられるだけで何度も達して、薫の胸も腹も白く濁った粘液で濡れそぼっていた。

直紀が薫の体の奥に二度目の精を放出した。雄の雄たる証《あかし》を体に取り込んだ薫は、かすれた声で引きつるような悲鳴をあげ、心が壊れてしまうような、衝撃に近いほどの絶頂感の渦に叩き込まれた——。

どれくらい放心していたのかわからない。ふと、直紀が名前を呼んでいることに気づき、薫の目がまず視界を取り戻し、そうして……。

「直紀……」

「ああ。もう大丈夫だろう」

「僕……」

「ちょっと体起こせるか?　手を貸すから」

すっかり身なりを整えた直紀が、薫の背中に腕を回して抱き起こしてくれる。そして気づいた。体操服を身につけている。直紀は水のペットボトルを開けると、薫に手渡して言った。

「とりあえず体は拭いた。ここにはシャワーしかないけど、使いたかったら行っておいで」

「……部屋に帰ってから、ゆっくり入る……」

「そうか。……制服は俺が丸めて床に落としちゃったからさ。しわがついちゃって、着るのみっともないと思って。ここには体操服しか着替えがないから。ごめん」

「……ううん……」

直紀の優しい嘘に涙がにじみそうになった。頑丈であることが条件の一つの制服が、そんな簡単にしわくちゃになるはずがない。だが目を開けたまま失神していたような薫に制服を着せるのは難しかったのだろう。薫が我を取り戻すまでに、できるだけ薫が羞恥しないように、傷つかないようにと思って、体操服を着せてくれたのだろう。こんなことになっても直紀は優しい。薫が水を飲んでいると、すっと直紀が手を差し出してきた。

「一応、これ飲んで」

「……なに……？」

「アフターピル」

「……っ、うん……」

小さなオレンジ色の錠剤を飲み下した薫は、これを服用しなければならないようなことをしてしまったのだと、改めて後悔にさいなまれた。薫の保護者を自認している直紀も、同じく後悔をしているだろう。泣いたら直紀に悪い。そう思ってぐっと涙をこらえると、直紀がやはり優しく枕の山に薫を横たわらせてくれた。

「しばらく安静に。気持ち悪くなったらすぐに言え。今……十時半だから、夜の十時半にまた飲む。その時も俺が一緒にいるから」

「うん……」

「大丈夫だ。ヒートは治まった。ここに入ってからそろそろ二時間だ。外のフェロモンも消えてる頃だろう。もう安心だ」

「そう……」

直紀はいつものように穏やかな笑みを浮かべて薫の頭を撫でてくれる。あんなことをしてしまったのが、嘘のようだ。嘘だったらいい……。そう思った薫は、あ、と気づいた。

「あの……、一週間、続くんじゃなかったのかな……」

「ヒート？　なにもしなければ一週間続くだろう」

「なにもしなければ……？」

「セルインを投与するか、受精をするか」

「……っ」

受精。生々しい言葉だ。薫がうつむいて視線を外すと、直紀は淡々と言った。

「保健の授業では習わなかったけど、人間だって犬や猫と同じ動物だ。受精すれば発情期は終わるだろうって」

「そう、だね……」

「これしかなかったんだ。ごめん」

「直紀が謝ることは……」

「アフターピルも飲んだし、妊娠はしないと思う。したら、俺が責任を取る」

「責任って……」

「だから心配するな」

「心配、してないよ……きっと大丈夫……」

薫の頬が一瞬赤く染まったが、それはすぐに褪《あ》せた。もし……もしも妊娠したら。子供ができたら。産みたい、直紀の子が欲しいと思ってしまったのだ。薫は馬鹿な自分に泣きたくなったが、無理矢理にほほ笑みをつくった。

(責任を取るって、それは僕の保護者としての責任感からだもんね……)

愛ではないのだ。その証拠に、直紀は自分のうなじに歯を立てなかった。わかっているのに、子供ができたら直紀を自分に縛りつけておけると、そんなことを考えてしまった自分が本当に浅ましいと思った。直紀はまた優しく薫の髪を撫でた。

「わかっていると思うけど、もう学院中に薫のことは知れ渡ってるはずだ」

「うん……」

「だけど心配ない。俺がいる限り、ここで薫が不愉快な思いをすることはない」

「うん……」

「だけど俺が薫を世話することは復活させるよ。薫はふわふわのんびりしてるからな」

「ふわふわって……してるかもだけど、のんびりはしてないよ……」

「じゃあ言い直す。ふわふわ呑気」

「……かも、しれない……」

「とにかく薫を一人にしておくと俺が心配で落ち着かないんだ。俺のことはお手伝いさんだと思ってくれればいい」

「お手伝いさんだなんて……」

「ほら、ちょっと寝てろ。昼食時間になったら起こすから」

「うん……」

直紀が気軽な口調で日常の話題を持ち出した。自分たちにはなにもなかった、なにもなかったんだ、と、言外に薫に伝えてくる。当然、薫のためだ。優しい直紀。好きだ、と改めて思う。

（こんなことになって、こんなことさせてしまって、本当にごめんね……）

心の中で謝って、薫はそっと目を閉じた。

翌日。

以前のように直紀が部屋まで迎えに来てくれて、一緒に食堂へ向かう。直紀が言っていたとおり、みんながさりげなかったり、あからさまだったりする視線を薫に向けてくる。

（昨日は直紀が部屋まで食事を運んでくれたから、外に出なくてわからなかったけど……）

みんなオメガがめずらしいのかな、と思った。学院にはほかにもオメガがいるだろうが、きちんと体調管理をしていれば、ヒートを起こさない限り人に知られることはない。今のところ、はっきりとオメガだとわかったのは薫一人なのだろう。けれど直紀の言ったとおり、志青にいた時のようなすれ違いざまの侮辱や嘲笑、陰口を叩いたり、あるいは手のひらを返して薫と距離を取る者は皆無で、それには驚いた。午前の授業を終えて直紀とともに食堂へ向かいながら薫は言った。

「本当にみんな、おとといまでと態度が変わらなくてびっくりした。自分の勉強に忙しくて、他人のことまで関心が向かないのかな？」

「それもあるだろうけど、ここには学力カーストがあるって言っただろ。学年二位の薫に下手なこと言う奴なんかいないよ」

「そういう理由……。でもほかの学年には関係ないでしょう？」

「薫には俺がついている。何年生だろうが、なにか思うところがあっても口にも態度にも出せないさ」

「出せないって……、それって直紀が学院の王様だっていう、あれ？　僕、よくわかってないんだけど、冗談だよね？　なんていうか、ニックネーム的なものでしょう？　それこそ首位独占してることの……」

尋ねた薫に、直紀はひどく大人びた表情で答えた。

「いや。本当に俺はこの学院の王だ。みんな自分が可愛いから、俺の機嫌を損ねるようなことはしない」

「本当に学院の王……」

ますます意味がわからない。直紀の表情はこれまで薫が見たこともない冷たさも湛《たた》えていて、真実を知りたいけれど突き詰めて聞くのが怖い。薫は、そう、とだけ言って視線を落とした。

食堂に入ると、すでに生徒で混雑しているというのに、カウンターからほど近い特等席のあたりがぽっかりと空いていた。直紀と仲違《なかたが》いとは違うのだが距離を取るまで、指定席のように座っていた場所だ。本当に王様の席という感じがして、薫はますます怖くなった。

　薫を席に着かせた直紀は、少し向こうにいた吾田を呼び寄せると薫に尋ねた。

「なに食べる？」

「あ、えーと、オムライス」

「わかった、待ってろ。吾田、薫を頼む」

「はいはい」

　ひらひらと手を振る吾田に見送られて、直紀はカウンターに向かった。薫は、ごめんね、と吾田に謝った。

「食べてる途中だったのに、直紀が呼んだりして……」

「いいの、いいの。呼びつけられることよりも、王子たちが喧嘩してた時のほうが心理的にきつかったからさ。仲直りしてよかったよ、ホント」

「喧嘩ってわけじゃないよ。なんていうか、直紀のお世話を断ったらへそを曲げちゃったっていうか……」

「それでお世話復活させたのか。復活というか、前よりひどくなってる？」

「なってる。とにかく僕から離れないんだ」

「久々にご主人様に会えた犬みたいな感じだな。あるいは、ボディガード」

「うーん……」

違うとは言い切れなくて、薫は困ったように微苦笑した。入学以来、学年トップを独走していることや、委員でもないのに学生自治に深く携わっていることから、一目も二目も置かれている直紀だ。吾田を含めて、直紀と対等に話せるのは学年で数人しかいない。そんな直紀が、かいがいしく薫の世話を焼いている。しかも薫自身が直紀の推薦で編入してきた。二人が揃っているといやでも目立つ。注目馴れしているとはいえ、薫自身は目立つことはしたくない。

（でもう……一人でなんでもできるなんて、言えるわけないし……）

直紀の世話はいらないと断った矢先にヒートを起こしてしまったのだ。きっちりと自己管理ができないのなら、直紀に管理してもらうしかない。みっともないな、と薫は自分のふがいなさにため息をこぼした。

直紀が昼食を運んできてくれた。オムライスのほかに、栄養バランスを考えたスープや副菜もがっちりセットされていて、吾田がおどけて口笛を吹いたほどだ。薫が食べ終える頃には食後の紅茶まで持ってきてくれる。本当にかいがいしいという言葉では足りないほどのかいがいしさだ。

（過保護に超がついてるよね……）

王様にこんなことをさせる自分って、みんなからどう思われてるんだろうと思った薫は、強い視線を感じてふと顔を上げた。視線の主は飛鳥だった。一列向こうのテーブルから、ほとんど薫を睨んでいる。けれど視線がぶつかった瞬間、パッと飛鳥は笑みを浮かべた。薫も微笑を返しつつ、さすが、と内心で感心した。

（プライドが高いって直紀が言ってたもんね。僕のことが嫌いでも、そういう顔を見せることはできないんだな）

　直紀とはただの友人だと教えたいと思ったが、それはそれで飛鳥のプライドを傷つけそうでできない。飛鳥としては外堀を埋めるつもりで直紀にまとわりついているのだろうが、直紀は昔から恋愛ごとについては、察するということを放棄する。どれほど熱い視線を送られても、どれほど好き好きという態度を見せられても、はっきり好きだと言われない限りはスルーを貫くのだ。

（飛鳥くんも、直紀が好きならはっきり言わないと……。僕を睨んでも、僕じゃどうしようもないんだから……）

　どうにも居心地の悪さを感じて、デザートを取ってこようと席を立とうとしたところで、御園の声が頭上から降ってきた。

「王子様、デザートはいかがかな」

「え、あ……」

　御園が三種五個のスイーツを載せたトレイを薫たちの前に置いた。

「王子の好きなものをどうぞ」

「いえ、御園先輩から、……」

「直紀が許すと思う？」

「……じゃあ、これいただきます。ありがとうございます」

薫は困惑を隠す王子スマイルを作ってトライフルを取った。ほかは小さなアイスクリームを添えたワッフルと、生クリームや季節の果物を載せたプリンだ。直紀は迷わずプリンを取って、ムッとした口調で御園に言った。

「薫の世話は俺がしますから」

「こんな程度のことで嫉妬するなって。ちょっと王子に用があってね」

「薫に？」

「そ。王子様、ちょっと失礼」

言うやいなや、御園が薫の後ろ髪を手で梳《す》き上げるようにした。いきなり他人に首筋をさわられた薫は、ゾクゾクッと寒気が走ってうわっと身をすくめてしまった。食堂の中が、水を打ったように静かになる。直紀が低い声で威嚇するように言った。

「セクハラですよ、ソノさん」

「悪い悪い。生徒会長として確認しておきたかったんだよ。王子に聞いたら、おまえ、怒り狂うだろ？」

「薫じゃなくて俺に聞けばいいでしょう」

「冗談だろ。おまえが正直に言うもんか」

ハンと御園が鼻を鳴らす。薫は寒気を払うように首筋を撫でながら、なんですか、と御園に尋ねた。

「もしかして、校則に反してましたか？」

「はい？」

「髪、長すぎでしょうか」

「出た、王子の善良砲」

御園はハハハと笑うと、ふいに薫の耳元に口を寄せた。直紀が、ソノさん！　と強く言って止めようとしたが、その時には御園は薫に囁いていた。

「噛み跡。ついてないんだな」

「……っ」

薫の顔色が一瞬で青くなる。指先が急激に冷たくなって、まるでヒートの前兆のようだ。怖くなって直紀を見ると、直紀は人目もはばからず薫を抱き寄せてスンと耳元を嗅いだ。わずかでもフェロモンが出ていたら、アルファの直紀ならわかるからだろう。直紀は、大丈夫だ、と言った。

「セクハラにショックを受けただけだ、大丈夫」

「ん……」

直紀の言葉どおり、体温の上昇は見られない。よかった、とホッとして直紀の肩に額を預ける。薫を抱く腕に力を込めた直紀が、冷え冷えとした声で御園に言った。

「自分がなにしたか、わかってるんでしょうね」

「おまえこそ、わかってるんだろうな。みんなが興味を持っているのは、王子がああだこうだってことじゃない。おまえの動向だ。どうしたらおまえにとって価値のある人間になれるのか。その情報として王子のことが知りたいんだよ」

「薫は俺の大事な奴だ。それだけ知ってれば十分でしょう」

「おまえからすればな」

「……」

直紀の眉間にしわが寄った。直紀の性格からして喧嘩どころか怒鳴り合いにもならないだろうが、直紀が不機嫌だと周りがおどおどしてしまう。薫はそっと直紀のシャツを引っ張った。

「直紀、僕は大丈夫だから。あの、よくわからないけど、大丈夫。だから御園先輩に怒らないで?」

「……薫……」

ハッとしたように直紀が剣呑《けんのん》な雰囲気をとく。ふっと吾田が肩の力を抜き、御園はクククッと笑った。

「俺は高等部の生徒会長として、また慧総の自治会長として、『次』があるのかどうか知りたかっただけだ。学院にまだ不備があるってわかったんで、院長と対策を話すよ」

直紀は御園を無視して薫の頭を撫でる。御園は気にせずに続けた。

「俺が王子だったら、さっさと直紀のものにしてもらいたいけどな。それが一番安全だろ。おまえのポケットに入れてもらってさ」

「薫は」

御園の挑発に乗せられたわけではないだろうが、直紀が静かに言う。

「ものじゃありませんから。意思がある」

「はいはい、直紀にとっての聖王子には、不埒《ふらち》なことはできないってことね。それにしてもよく耐えたな。そういうのも鋼のメンタルっていうのか」

「さあ、どうでしょうね」

「だけどな、直紀。おまえがずっとその態度だと、いつか王子が傷つくかもしれないぞ」

「あり得ない」

直紀は口端を上げると自信満々といったふうに答えた。自分がいる限り薫は安全なのだと、絶対の自信があるのだろう。御園はニヤニヤ笑うと、そういうところは子供だなと言って、自分のスイーツが載っているトレイを持った。

「あの件、処理した。もう使えるようになってる」

「ありがとうございます、ソノさん。お礼はまた改めて」

「ああ、期待してる」

御園がテーブルを離れる。途端に、自分たちを中心にして、波紋のようにざわめきが広がっていった。直紀は抱きしめていた薫の肩を優しく叩いた。

「薫。デザート食べちゃえよ」

「うん……」

すっと直紀が体を離す。薫はなんでもない顔を作ってデザートを口に運びながら、御園が思い違い……嚙み跡がないなら薫を抱いていないという意味の話をしていたこと、それを近くで聞いていた生徒から、薫と直紀の間にはなにもなかったのだという話が伝わっているのだと思った。

（直紀とはなんにもなかったってみんな思ってくれるんだ……よかった……）

そう思うものの、御園に囁かれた言葉、『嚙み跡がない』、そのことが心に冷たいものを落とした。

（……わかってたことじゃないか。直紀は僕に恋をしない。恋をしないんだから……）

薫に占有の証を刻むことなどしないのだ。昨日のあの行為は、色欲に苦しむ薫を助けるために、保護者として行っただけのことだ。つらいな、と思った。恋愛感情もないのに、ただ薫を助けたいという気持ちで薫を抱ける直紀。その正義感がつらい。けれどそうさせたのは、体調管理を怠って寝坊までしでかした自分のせいだ。自業自得なのだ。

（だからつらいなんて、言葉にも態度にも表してはいけない）

トライフルは甘すぎる。泣きたくなったのは甘すぎるからだと薫は思った。

一日の授業が終わった。食堂でのことがあったとはいえひどく気疲れしていて、少しベッドで横になりたいほどだ。机に突っ伏したいが、いつもやらないことをやって変な憶測を呼ぶのも困る。寮までが遠いなと思っていると、直紀がすっと寄ってきた。

「薫、部屋に……どうした？　少し顔色が悪い」

「うん、ちょっと疲れてて……」

「早く部屋に戻ろう。バッグ貸せ」

サッと表情を引き締めた直紀が、薫の肩を抱くようにして椅子を立たせる。みんなの視線が寄せられたが、こうした視線にも馴れなくてはと思った。薫のバッグを持ってくれた直紀とともに、ふだんよりもゆっくりとした足取りで寮へ戻った。薫の部屋は二階だが、なぜか直紀は一階の通路を奥へ進む。なんだろうと思っているうちに通路の一番奥のドアを直紀が開けた。肩を抱かれて中へ入った薫は、一目見て驚いた。小さいながらもソファセットが置かれた居間スペースがあり、その隣に、扉こそなかったが勉強机とベッドがそれぞれ二台設置してある寝室スペースがあったからだ。壁紙やカーテンも寮室とは違って装飾性が高い。まるでホテルだと驚いた薫は、直紀に促されるまま寝室スペースに入り、ベッドの一つに腰掛けた。そして気づく。デスクに自分の勉強道具が整えられている。隣のデスクにはおそらく直紀の。

「直紀、ここ……」

「ゲストルーム。急な転校や葬式があった時、保護者がここで生徒と一泊して、翌朝車で帰るための部屋。表向きは」

「表向き……？」

「ああ。稀《まれ》だけど、保護者がホテル並みの寮費を払って特別に息子をここに入れたりするんだ。あとは生々しいから薫には話したくない理由もある」

「そう……。でもどうして僕の荷物が……直紀のもあるけど……」

まさか、と思っていると、なんとも軽く直紀が答えた。

「今日からはここで俺と暮らす。一人じゃ危ないからな」

「そんな……、そんな特別待遇、いいよっ」

「よくない。薫がオメガだと知られた今、個室は危険なんだ。みんな今は俺が怖くておとなしくしてるけど、やれる存在がいると思えば性欲を抑えられなくなる奴がきっと出てくる」

「だとしても、二人部屋なんて。僕はただでさえ悪い意味で目立っているのに、これ以上目立ちたくないよ」

「今さらだろ？　薫も俺も昔から目立ってたじゃないか」

「でも、……」

「なにかがあってからじゃ遅いんだ。薫が襲われたあと、いくらやった奴を制裁したって意味がない。大事なのは、薫の安全だ。そうだろう？」

「そうだけど……」

直紀の言うことはいちいちもっともだ。薫が慧総に来たのは、ここなら安全だからと直紀に言われたからだ。事実、直紀は薫を守ってくれる。ふだんの時も、ヒートを起こした時も。

「さっき御園先輩が言ってたのって、この部屋のこと……？」

「ああ。俺は食堂や校舎に近い六年の寮棟に用意したかったんだけど、ソノさんに反対されたんでさ。俺のことなんかみじんも心配してないけど、薫のほうが、先輩に囲まれてたら気が休まらないだろうって」

「そうだよ、本当に御園先輩の言うとおりだよ。六年の寮棟じゃなくたって、ここだって、こんな特別待遇は気が引けるし、困るよ」

「べつに困ることはないだろう？　誰にも迷惑はかけてない」

「直紀の気持ちは嬉しいよ、本当にね。でも僕、生活サイクルは元に戻すし、勉強も慧総に来る前と同じやり方に戻すよ。もう二度とあんなことは起こさない。だから元の部屋に戻ろうよ、みんなと同じでいようよ」

「みんなと同じなんて無意味だよ。薫にはこの部屋が必要だと俺が判断したんだ。なによりも薫の安全のために。わかるよな？」

「直紀……」

どう言えばわかってくれるんだろうと薫は困惑した。直紀からすれば、四六時中薫をそばに置くことが一番手間をかけずに薫を守れる。直紀はただ安全であることしか考えていない。それ以外のこと……他人の思惑などは取るに足らないものだと思っている。けれどそれは直紀が強いからできることだ。そして強いから薫を含め、ふつうの……言い換えれば弱い人間の気持ちがわからない。

（僕はオメガで、直紀の幼なじみで、だからなにからなにまで特別待遇で……）

高校から編入したいきさつや、ヒートの事実をなかったことにしろと強いるような直紀の振る舞い。そのくせ薫を、オメガを、保護するためにゲストルームを使用したり、そのことで今から気まずさや居心地の悪さを覚えてしまう薫の、弱い人間の気持ちが理解できないのだ。

（これは話し合いで解決できることじゃないな……持って生まれた性質の問題だよね

……）

以前白井に、薫の持ち味はフォローにあると言われたが、直紀には薫以外の他人をフォローするという気質が抜けているのだと、今さら気づいた。

薫はため息を呑み込むと、わかった、と直紀に言った。

「この環境を受け入れるよ。でもその代わりに今度こそ教えて。どうして直紀はこの学院で、ここまで好き勝手できるの？　学院の王って、どういうことなの？　ちゃんと教えて」

「それは今、薫が知ることじゃない」

「直紀……」

「俺が必要だと判断した時に話す。薫はなんにも心配しないで俺に守られていればいいんだ」

話は終わり、というふうに、直紀が空を手で払う仕種をした。

こんな傲慢な男だっただろうか——。

薫は驚いて、呆然《ぼうぜん》としながら直紀を見つめた。少なくとも直紀は、意見を容《い》れる容れないはともかく、人の話はちゃんと聞く男だった。相手が薫ならなおさらだ。どんなつまらないことでも真摯に耳を傾けて、薫の身になって意見や助言をしてくれた。それなのに。

（直紀はたしかに僕を守ってくれている。でも……）

薫の気持ちも考えもまるきり無視して、自分の私物のように薫を扱っている。ヒートを起こした時、『薫は俺のものだ』と直紀は言った。あれは突き詰めれば、薫は直紀の意のままになる人形だと、そういう意味に取れる。

「……」

直紀は変わってしまったのだろうか。変えてしまったのは自分なのだろうか。自分がオメガだから、守らなければと直紀が思うような、そんな存在だからか。

だとしたらただただ悲しい。薫はそっとうつむいた。

学期末試験も滞りなく終了した。

試験休み明けに校舎へ行くと、出入り口には、まるで受験の合否発表のようにずらりと成績が張り出されていた。一位から順に三十五人で一区切りしてあるのは、そのままクラス分けを表示してあるということだ。みんなが驚きと、やっぱりなという気持ちで見ているのは四年生の成績表だった。あんなこと……薫がヒートを起こして学院中が半日騒然としたのに、その当事者である薫が、動揺していたにもかかわらず二位をキープしているからだった。一位は当然直紀。トップのあたりにだけちらりと視線をやった薫と直紀に、吾田が後ろから、さすがだねぇと声をかけてきた。

「直紀も王子も消灯までしか勉強してないんだろ？　やんなっちゃうよなぁ、本当の秀才っておまえらみたいなことを言うんだろうな」

「直紀はそうかもしれないけど、僕は違うよ」

　薫は笑みを作って答えた。

「僕は同室特権で直紀に勉強教えてもらってるからね」

「王子に自虐は似合わないよ。今にして思えば、編入当初から直紀と二人部屋でもおかしくなかったんだからさ」

「え？　どうして？」

「そりゃあ直紀を見てればわかるだろ？　王子に仕える騎士ですよ」

「そんなこと……。それに直紀は……王様なんでしょう？」

「王と騎士の整合性についてはノーコメント。俺なりの考察はあるけどね」

「どういうこと？」

「直紀が王子に話してないなら俺の口からは言えない」

「……だよね」

「もー、おまえら複雑すぎて大変。白井からはニコイチじゃなくて一個一個、個別に対応しろって助言受けたんだけどさ」

「白井って……志青にいる白井？　白井大悟《だいご》のこと？　えっ、友達なの⁉」

　驚いて目を丸くすると、吾田はクスクス笑って教えてくれた。

「友達じゃないな、単なる知り合い。親同士が知り合いでね」

「へー、そうなんだ。世の中って狭いね」

こんなことがあるんだなぁと感心していると、また吾田がクスクスと笑い、直紀まで苦笑した。親同士の付き合いってどういうことかと、突っ込んで聞かないところがまさしく育ちのいい王子らしいと思ったからだが、薫自身は、反応が子供っぽかったんだと思って頬を熱くした。

志青では答案返却日があったが、慧総では答案を授業時間の頭に返すだけであとは通常授業になる。とにかく教科書を猛スピードで片づけていく方針らしかった。だから当然いつもどおりの時間割だ。本日の三時限目は体育だったので、不参加の薫は図書館で自習することにした。

「薫、どこに行くんだ？」

体操着に着替えていた直紀が、教室を出ようとしている薫に尋ねる。薫は振り返って答えた。

「図書館。あっちのほうが落ち着くから」

「わかった。授業終わったら迎えに行く」

「うん」

薫は素直にうなずいた。今はもう、いいよ、一人で大丈夫、とか、心配しないで、などは言わなくなっている。薫がなにを言っても直紀は聞き入れないと、知ってしまったからだ。

（卒業まで三年間、我慢……とは違うけど、この状況を受け入れるしかないんだよね……）

直紀とはこの十六年で一番近くにいるし、薫に対しては溺愛と言っていいほど優しい。気持ちが離れているわけでもない。ただ、心を寄り添わせることができなくなったな、とは思う。

「直紀がなにを考えてるのか、わからないんだもん……。学院のみんなが直紀に見せる態度や、王様のことや……話してくれないし」

ふう、とため息をこぼして校舎を出る。図書館は体育館とは反対、食堂側にある。外は真夏と言っていいほど気温が高く、むせかえるような緑の匂いがした。木陰を選びながら通路を歩き、図書館の建物が見えてきた時だ。

「薫先輩」

「あれ、飛鳥くん」

木陰のベンチに腰掛けていた飛鳥が、ぴょんと立ち上がって薫の前に立った。ここから中等部の校舎まではかなり距離がある。休み時間内に戻れるのかなと心配する薫に、飛鳥はニコニコッと可愛らしく笑って言った。

「薫先輩、この間は大変でしたね。ヒート」

「あ……、うん、あの、ごめんね、迷惑かけて……」

　すうっと青ざめた薫を見て、飛鳥はわざとらしく両手と首を振った。

「全然迷惑じゃないですよ、大丈夫です！　だけどオメガって大変ですよね。突然起こるんでしょう？　ヒート」

「あの日はちょっと体調が悪くて……でももう大丈夫だから」

「そうなんですか。でも、学生の時はいいけど、社会に出たらそうもいかないんじゃないですか？　お医者さんになるってことですけど、急患とかで疲れたらヒートを起こすんじゃないんですか？」

「それは……」

　薫自身、よくわかっていることだ。けれど医師になることを諦めてはいない。なにより直紀が励ましてくれる。ただ、実家を継ぐことはできないかもしれないけれど。薫が言葉を濁すと、飛鳥はなぜか困ったような表情で言った。

「あの……。薫先輩は、大人になってからも直紀先輩になんでもやってもらうつもりなんですか？」

「え……？」

「薫先輩と直紀先輩は生まれた時からの幼なじみなんだって聞きました。家族同然なんですよね？　だからあんなに薫先輩のこと大事にするの、よくわかります」

「そう……」

「今はいいと思うんですよ、学生のうちは。でもぉ、それ以降は困るっていうか、直紀先輩と結婚しても、薫先輩がついてくると思うとぉ……」

「え……直紀と、結婚……？」

耳を疑うような飛鳥の言葉だった。直紀は高校生、飛鳥はまだ中学生だ。それなのに結婚という言葉が出てくるなんて。薫が混乱していると、飛鳥が申し訳なさそうな表情で言った。

「直紀先輩と僕、付き合ってるんですよ。もちろんそういう関係もあります」

「え……」

「でも直紀先輩モテるから、浮気とか心配になって、将来結婚してって言ったんです。考えとくって直紀先輩は言ってくれて……。なのに薫先輩が来たらいきなり冷たい態度になって……」

「……」

「幼なじみだから大切にしてるってわかります。わかりますけど、僕なんか眼中にないって態度に変わったから。直紀先輩の本命は薫先輩で、僕はただの遊び相手だったのかなって不安に思ったんです」

「待って、……」

「だけど直紀先輩、薫先輩がヒートした時もなんにもしなかったんでしょう？　やっぱり弟みたいに思ってるんだなって思って、僕、安心しました。家族同然なんですよね。弟が体が弱くて、しかもオメガだったら、兄としたら過保護にもなると思うし」

「待って飛鳥くん、直紀と……」

飛鳥の発言が衝撃的すぎて薫は頭がふらふらした。関係……直紀とそういう関係があるのなら、初めて飛鳥に会った時の飛鳥の言葉も理解できる。あの時飛鳥は、遠慮してくれないかと薫に言った。つまり、恋人同士の時間を邪魔するなと、そういう意味だったのだ。

たしかに恋人がほかの男を大切に扱っていたらいい気はしないだろう。

（だとしても、結婚って……）

薫はめまいを覚えながら尋ねた。

「直紀と結婚って、でも飛鳥くん、オメガ……じゃ、ないんでしょう……？　今は想像できないかもしれないけど、将来子供を持てないことに、……」

「僕がオメガじゃないなんて、いつ言いましたっけ？」

薫の言葉を遮って飛鳥は挑戦的な目で言った。

「直紀先輩が大学に進んだらほかの人を好きになっちゃうかもしれないんで、慧総にいる間に婚約しちゃいたいんですよね。というわけで薫先輩」

「なに……」

「僕たちが結婚するまではいいですけど、結婚後は直紀先輩のお荷物にならないようにしてもらいたいんです。直紀先輩だったら、新居に薫先輩も呼びそうだし、それってすごく迷惑じゃないですか」

「……」

「だから直紀先輩が面倒見なくてもすむように、ちょっとずつ自立してください。よろしくお願いします」

「あ……うん、わかってる……」

「ありがとうございますっ。それじゃまたっ」

　飛鳥は嬉しそうに笑うと、中等部の校舎へ向かって走っていった。

「……」

　取り残された薫はふらふらとベンチに腰を下ろした。ショックを受けている自分が滑稽だった。

「鈍感だなぁ、僕……。飛鳥くんがあれだけ直紀にベタベタして、それを直紀も許してるんだから、気がついてもよかったんだ……」

　鈍い自分に呆れて笑いがこぼれたが、次には涙があふれてきた。直紀から恋の対象として見られていないことはわかっている。けれど直紀には体の関係まで持っている恋人がいたのだ。ひっそりと直紀のことを想《おも》うだけでいいと思っていたのに、胸が潰れそうに痛んだ。

「これが失恋の痛みってやつなのかな……」

とにかく今のままじゃいけないと思った。直紀と付き合っている飛鳥は、薫が直紀と同室ということにやきもきしているだろうし、気分も悪いだろう。薫自身、飛鳥に恋をしている直紀のそばにいるのはつらすぎる。だからといって、元の部屋に戻ることもできないのだ。

「慧総に、来るんじゃなかったな……」

静かに涙を流しながら薫は呟いた。

一学期の終業式を終えた。さすがに今日ばかりは授業もなく午前中で終わるので、帰省する生徒たちは食堂や寮に直行した。薫は生徒たちで混雑する電車を避けるために、一週間後に帰ることにしている。もちろん直紀も一緒だ。みんなが教室から出ていくまで待って、直紀がそばに来た。

「薫、今は食堂も混んでる。いったん寮に戻ろう」

「うん」

立ち上がった薫は、めまいではないのだがふらついて、思わず直紀にすがってしまった。

しっかりと薫を支えた直紀は、どうした、と心配をあらわにした。

「体調が悪いのか？　顔色は……悪くもないな……」

「あの……暑さ負けだと思う。心配しないで」

「心配するよ。どうせほとんどの生徒はいなくなるんだ、寮のクーラー、一度下げてもらおう」

「いいよ、平気。もうすぐ帰るんだし」

「気にするな、下げてもらう」

「……うん」

　薫は力なくうなずいた。本当に暑さに参っていることもあったが、実のところストレスで体調がよくないのだ。直紀と飛鳥が付き合っていることがショックだったし、それなのに一日中直紀とともにいなくてはならないことがつらいし、つらい気持ちを顔に出さないようにすることにも疲れ切っていた。夜もあまりよく眠れていない。食欲も落ちていたが、直紀が心配するからと無理に食べては、気持ちが悪くなってこっそりと吐くことも度々だった。

（あと二年半の我慢か……）

　そう思うと体がふわふわするような不快な感覚を覚えた。気分は悪くないのに体の力が抜けて倒れてしまいそうな感覚だ。

平静を装って直紀とともに寮へ向かっていると、前方から飛鳥が走ってくるのが見えた。薫の手足がすっと冷える。今もっとも会いたくない、もっと正確に言えば顔も見たくない人間だ。けれどそんな感情を持つのは逆恨みだとわかっているから、苛立ちのはけ口もなくてどんどん心が傷ついていく。ストレスの元の飛鳥がそばに来て、さらに直紀の腕にすがりついたものだから、薫の精神的苦痛が一気に高まった。手足の冷えだけではなく耳鳴りがして、世界が揺れているようなめまいまでした。飛鳥がなにかを直紀に言っているが、耳に入らない。これはマズいなと思った薫は、先に部屋に戻っているねと言おうとして、突然ヒートを起こした。

「あ……」

「薫っ」

飛鳥を突き放した直紀が薫を抱きかかえた。瞬時にフェロモンが爆出して、薫に距離が近い者から順に、ギラついた目を薫に向ける。しかしそれは薫のせいなのだ。ああ、またみんなに迷惑をかけた……そう思うと消えてしまいたくなる。薫は涙ぐみながら直紀に囁いた。

「ごめん、また……」

「心配ない」

低い声だったが力強く言った直紀が、薫を抱えたまま寮へ向かう。通路には帰省しようとしていた生徒たちが大勢いたが、薫たちを見ると、怖いものでもやってきたように通路の端に寄った。海が割れるように二人の前が空いていく。真っ直ぐに前を見つめたまま直紀は呟いた。

「くそ、なんでなんだ、薫に無理はさせていないのに……」

「……」

「俺がいるからと思って、セルイン、部屋に置きっぱなしだ。薫、持ってないよな？」

「ごめ……ない……」

「謝るな」

短く言った直紀が、ふらふらとしか歩けない薫をふいに抱き上げた。恥ずかしいと思ったが、体調がひどくて降ろしてと言えない。直紀は薫を抱いたまま足早に寮に戻った。サロンにも寮室に続くドアあたりにも、帰省しようとしている同級生たちがいる。このまま部屋に戻ったら押し入られてしまうなと呟いた直紀が、小声で薫に言った。

「部屋には戻れない。セーフルーム行くぞ」

「でも直紀、……」

「いいから」

直紀はドア前にいた生徒たちに、どけ、と低く言う。級友たちが怖じけてジリッと後ずさった。二階のセーフルームに入る。しっかりと鍵をかけた直紀は、以前のようにベッドに枕を積んで、そこに薫を横たわらせた。直紀もそのままベッドに浅く腰掛ける。

「ここにはセルインがない。だから代わりに俺が薫を抱く」

「……っ、いやだ」

呼吸を上げ、熱い体を持て余しながらも薫ははっきりと拒否した。

自分の中で目を覚ました肉欲の化身は、直紀に抱かせろ、直紀を喰らえ、あの快楽を再び得ろ、と薫をそそのかしてくる。けれど薫は、もう負けないと強く思った。この体がどれほど浅ましく直紀を求めても、絶対に体を合わせるつもりはない。セルインの代わりに直紀とセックスをするなんて、ただヒートを鎮めるためだけにそんなことをするなんて、吐き気がする。それに直紀には飛鳥という恋人がいるのだ。保護者の義務感だけで薫を抱くなんて……、なんの気持ちもないのに薫を抱くなんて、薫の自尊心を踏みつけにするようなものだ。

（やっぱり直紀は問題に対処することしか考えてない。目の前の発情したオメガにも感情があるんだってこと、わかってない）

薫は潤んだ目で直紀を睨みつけた。直紀は聞き分けのない子供を見ているように、ため息をこぼした。

「セルインもないのにどうするんだ。一週間も耐えられないだろう?」

「耐える」

「薫……」

「絶対耐える。直紀に抱かれるのはいやなんだ」

　はっきりと言うと、初めて直紀が瞳に動揺の色を見せた。動きを止めた直紀に呼吸を荒らげながらも薫は言う。

「直紀は変わったよね。昔の直紀はこんなふうじゃなかった。ちゃんと僕の言葉を聞いて、僕の気持ちを考えてくれた」

「今だって薫のことを一番に考えているだろう？」

「僕のことを一番に？　セルイン代わりにセックスするってことが僕のためだって、本気で思ってるの？」

　全身を淡い桃色に染めて苦しそうに訴える薫からは、理性で直紀を拒絶する薫を嘲笑《あざわら》うように、濃厚な甘い香りのフェロモンが止めどなく放たれている。直紀の喉が無意識にゴクリと上下した。薫は情欲で半分とろけている目で、それでも直紀を睨みつけた。

「直紀は最良の結果を得るためには手段を選ばないタイプだよね。でも僕はそうじゃない。セックスは、セルイン代わりの手段じゃない。そんなふうに思えない。好きな人と心を重ねてするものだと思ってる」

「……俺は薫が好きだよ」

「幼なじみだからでしょう⁉　親友だからでっ、僕を守るためだからでっ、……だけど僕はっ、そんな理由で抱かれたくないっ」

「……俺をそんな男だと思っているのか」

直紀が怒りを孕んだ声で静かに言った。本気で怒っている時の声だ。けれど薫は怯まなかった。小さい頃とはいえ直紀とは何度も喧嘩している。こうしたことで直紀を怖いと思ったことはない。なにより、やっと直紀は薫の言葉に耳を傾けてくれたのだ。こうして話している間も薫の体は熟れ、直紀の味を知っている孔が前回とは比べものにならないくらいうずいたが、薫はグッと奥歯を噛みしめた。負けない、と自分を奮い立たせて直紀を見つめた。

「少なくとも僕の知っている直紀は、恋人がいるのに平気で僕を抱くって言うような、そんなだらしない奴じゃない」

「恋人……？」

「将来、結婚するんでしょう？　直紀が体の関係を持ちたくて、彼に嘘ついたとは思いたくない。だから結婚するつもりだって言ってほしい」

「……それで？」

「彼、直紀が僕に構ってばかりだから不満に思っているよ。学院にいる間に婚約したいって言ってた。そういう相手がいる直紀と、セルイン代わりにセックスなんて、僕は、絶対に、しない」

ぴしりと言い切って直紀を睨んだ。直紀がそばにいるからなのか、体温がどんどん上がる。それにともなって尻はぐっしょりと濡れているし、フェロモンも爆発的に放出されているはずだ。喉元が苦しくて、うまく動かない手でネクタイを抜こうとすると、直紀が黙ってやってくれた。シャツのボタンを外してくれながら直紀は言った。

「俺と付き合いたいっていう奴は、何人いるかわからない。はっきり告白されたのは五人。全員断った」

「……」

「割り切った関係でいいから寝ようって持ちかけてきたのはソノさん。正直に言えば、薫をここに呼ぶまで、継続的に抱いてた。ただし、そこには恋愛感情はない。お互いに打算ありきで性欲の解消をしてただけだ」

「恋人が、いるのに……!?」

「いないよ」

「嘘っ」

「逆に聞くけど、俺の恋人って誰なんだ？　俺はまだ、好きで好きで、そいつがいなかったら死ぬってほど好きな奴に、打ち明けてもいないんだけど」

「それなら彼のこと、騙《だま》してるの？　恋人だと思わせて、ベッドの相手にしているの？　最低だよ」

「だから、彼って誰だ。誰が薫に妙なことを吹き込んだ？」

「飛鳥くんだよ、付き合ってるんでしょう⁉」

「ああ」

飛鳥の名前を聞いて、直紀はハンと鼻を鳴らした。

「ソノさんの煽りを真に受けたのか。馬鹿だな」

「煽りって……」

「説明はあとにしよう。汗がすごい。つらいんだろ？」

「いや……。ちゃんと、納得しない限り、直紀とはしない……」

「……わかった」

直紀は大きなため息をこぼして続けた。

「初めてソノさんに会った時のこと、覚えてるか？　コンビニで。飛鳥なら薫から俺を奪い取れるって意味で、頑張れって言った」

「あ、うん……」

「ソノさんとしては、飛鳥が俺をイライラさせてくれたら面白いって、その程度の気持ちで煽ったんだよ。でも飛鳥は真に受けた。ソノさんていうライバルが一人減ったし、頑張れば俺を手に入れられるって」

「だから……飛鳥くん、よく俺のこと、睨んでたんだ……」

「嫉妬したんだろう。そこでソノさんが、俺が薫を抱いてないって勘違いして、それをバラしてくれたし。飛鳥はチャンスだと思ったんだろうな。薫を遠ざければ俺と付き合えるとでも思ったんだろ」

　そこまで馬鹿だとは思わなかったと直紀は呟いた。薫はハァと熱い息をこぼすと、わずかに期待を込めた眼差しで直紀を見た。

「それなら、本当に……飛鳥くんとは、なんでもないの……？」

「ない。俺は飛鳥にどんな感情も持っていないよ。まとわりつかれて邪魔だとは思うけどな。だいたい飛鳥には好きになる要素がないだろ？」

「そんなこと……、とても可愛いじゃない……天使画から、抜け出てきたみたいに……」

　薫が言うと、ふっと微笑《わら》った直紀がベッドを立って水を持ってきてくれた。黙って差し出された水を、薫も黙って受け取る。水が飲みたいと言わなくても伝わる。こういうところは昔の直紀のままだと思いながら、ひりつく喉を潤して薫は続けた。

「それに、飛鳥くんは結婚するまでに自立してほしいって僕に言ったんだ。優しいよ」

「それのどこが優しいんだ」

「時間をくれたじゃないか……今すぐ直紀から離れろって言わなかった……」

「……薫は成長するにつれて王子レベルが上がるな」

　直紀は苦笑すると、そうっと薫の髪を梳いた。それだけで感じた薫がビクッと身をすくませる。やめて、とかすれた声で訴えたが、直紀は優しい手を止めることはしなかった。

「言っただろう、飛鳥は眼差しに性格の悪さがにじみ出てる。あれを可愛いという薫は人を見る目がない」

「……」

「しかも小姑《こじゆうとめ》みたいなことを言われて、それを優しいと思うなんてな。……今日のヒートはそれが原因か。あいつのことがストレスになってたんだな？」

「べつに……」

「ソノさんに言われたこと、今さら理解した。俺が鼻で笑って流せることも、薫は真面目に取り合う。それで薫が傷つくってこと、わからなかった。ごめん」

「なに……？」

「こんな状況で言うことじゃないけど、こんな状況だからあえて言う」

直紀の手が髪から頬に降りる。やめて、と肩をすくめる薫に構わず、指先で唇を撫でながら直紀は言った。

「薫が好きだ。幼なじみとか、親友とか、家族同然とか、そういう意味での好きなんじゃない。恋人として、ゆくゆくは伴侶になってほしいと思う意味での好きだ。好きで好きで、そいつがいないと死ぬってくらいに好きなのは、薫のことだ」

「……嘘……」

「どうして？」

「だって……、この前、僕のうなじ、噛まなかったじゃない……自分のものにしたかったら、噛むでしょう？　番《つがい》になりたいと思うでしょう？　なのに……」

「それは食堂でソノさんに言っただろ。薫の意思を尊重するって」

「直紀……」

「俺たちは相愛だってわかってた。小六の夏、あの流星群を見た夜に確信した」

「……っ」

　あの夜のことがまざまざと思い出された。一番大事な奴だからと、夜空を流れ落ちていく数多《あまた》の星に、誓うように口にした。あの時から直紀は変わっていなかった。ずっとずっと薫のことだけを好きでいてくれた。ずっとずっと薫が直紀を好きだったように。

　嬉しくて、薫の目から涙がこぼれた。直紀は関係がこじれる前にいつも見せてくれていた、優しくて甘い笑みを浮かべて言った。

「薫がヒートを起こした時、俺だけのものにしてしまいたいっていう気持ちは、もちろんあったよ。絶好の機会だって。だけど思いとどまった。俺の気持ちを薫に伝えていなかったし、薫の気持ちもきちんと聞いていなかったからな」

「直紀……っ」

「それに、あの時薫は泣いた。あんな状況で俺に抱かれるのはいやだと思ったからだろ？

わかってるって、あの時俺は言ったよな。だから薫に俺の印をつけなかった」

「……そういうの、全部……っ、言ってくれれば、よかった……っ」

「今は俺もそう思う。だけど打算で人付き合いをする俺を知られたくなかったんだ。人間的にいやらしい俺も知られたくなかった。薫のヒーローでいたかったんだ」

「うん……っ」

直紀は今も薫のヒーローだった。ただ、言葉だけが足りなかった。中学の三年間、離れていた間に、正義感をストレートに出すだけではうまくいかないのだということを学んだのだろうし、薫は薫で、正論は人を傷つけるということを学んで、気持ちを隠すことを覚えた。どちらも大人になるためには必要なことだが、そのせいで、二人とも思い違いやすれ違いで苛立ったり悲しんだ。それは全部、お互いの言葉足らずが原因だった。相手を守りたい、傷つけたくない……ただそれだけだったのに。

ひくっとしゃくり上げた薫の涙を、直紀が優しく指先で拭う。その手を握りしめて、甘くかすれた声で薫は言った。

「好き……直紀が、好き……」

「俺も。俺も薫が好きだ。好きで好きで、薫がいなかったら息ができなくなるくらい薫が好きだ」

「僕も、僕も……っ」

「俺だけの薫にしても、いいか？　薫を一生、俺に縛りつけてもいいか？」

「うん……。直紀だけの僕にして……」

「く、そ……っ」

薫の心は情欲に呑まれてはいないが、ヒートした薫からそう囁かれて、直紀の理性は切れそうになった。もちろんフェロモンの影響もあるだろう。けれど、自分の未来をすべて使うと決めたほど大切な相手から、体を重ねたい、直紀と一つになりたいという意味のことを言われて、冷静でなどいられない。直紀の中の獣の部分が顔を出し、危うく薫のシャツを乱暴に引き裂くところだった。深呼吸をしていったん気持ちを落ち着け、丁寧に薫の衣服を取り去った。

「綺麗だな……」

無意識に呟いていた。初めて薫の裸身を見た時も感嘆したが、男の体型なのに肩や腰が女性のような丸みを帯びていて、まさに中性的な透明感のある色香をにじませている。体の中心で立ち上がっているものはあるが、それはすでに生殖には意味をなさない。ただ直紀に可愛がってもらうためだけの器官としてそこにある。

慌ただしく衣服を脱いだ直紀は、今すぐにでもいってしまいそうなほど興奮していたが、鋼のメンタルで自分を律し、そっと薫に体を重ねた。

「ああ、直紀……」

吐息混じりの囁きがいっそう直紀を興奮させる。

「キス、してもいいか……？」

「……この前、してくれなかったけど……」

「だってまだ、恋人じゃなかったからな」

「……やっぱり直紀は直紀だ」

　薫がほほ笑んだところで直紀の唇が重なった。直紀のキスはひどく優しかったが、口の中を愛撫《あいぶ》する舌の動きは巧みで、濡れ切っている孔がさらにジンジンとうずいた。けれど、御園と行為をしていたという直紀の言葉が頭をよぎり、ほんのわずか、顔を背けてしまった。些細《ささい》な抵抗に気づいた直紀が、すぐに唇をほどく。

「薫？　キス、いやか……？」

「……上手だなって、思って……。……先輩と、たくさん……、したの……？」

「待て。キスのうまい下手がわかるくらい、薫は経験があるのか？」

　たちまち直紀の表情が険しくなる。自分のことを棚に上げてと呆れた薫は、じろりと直紀を睨んで言った。

「あるわけないでしょう？　中学時代のほとんど、僕は孤立してたんだよ？　直紀は御園先輩としてたみたいだけど」

「ああ、びっくりした……」

はあ、と息をついて直紀は苦笑した。

「ソノさんともキスはしていない。俺は恋人と配偶者にしかキスはしないって決めているんだ。要するに薫としかしない」

「そ、そう……」

「上手って言ってもらえてよかったけど、どうして上手だって思ったんだよ」

「それは、だって……か、感じたから……」

「……そうか」

薫の顔が火照りだけではなく赤くなる。直紀はくすぐったそうに笑った。

「薫と離れていた間、イメトレだけは欠かさなかったからな。恥ずかしいんだけど、キスのハウツー本も買ったし」

「通販で？　よくハウスマスターが見逃してくれたね……」

「抜け穴があるんだ。コンビニ受け取りにすればバレない」

ニヤリと直紀は笑い、再び唇を合わせてきた。三年間のイメトレの成果は素晴らしく、歯列の裏や上顎の骨に沿って舐められると、うめきを洩らしてしまうほど感じる。キスだけでシーツに滴るほど孔を濡らした薫は、自分から膝を立てて直紀の腰を挟んだ。わかっている、とでもいうように、深いキスをついばむようなキスに変えた直紀が、するりと薫の尻に手を伸ばした。ふれる前からわかっていた、トロトロに濡れた孔。そこにそっと指を押し入れる。それだけで甘く泣いた薫に、直紀は嬉しそうに笑み、優しく指を動かした。

「あ……な、直紀……」

「うん？」

「御園先輩と、したみたいには、しないで……」

「当然。正直、抱くことよりも薫をよがらせることばっかり妄想してたからな。たとえばこうやってさ……」

　体を起こした直紀が、孔に入れた指を出し入れしながら乳首をいじる。指先でクニクニとこねられて、ツンととがったところを口に含まれた。きゅっと甘噛みされた途端、なぜか下半身でジンと感じてしまい、薫の口から吐息のような声がこぼれる。

「あぁ……、胸、感じる……」

　取り立ててわいせつな言葉ではないが、ふだんの薫なら口にしないような言葉だ。薫自身、そんなことを口走ったことに驚いたが、けれど恥ずかしいとは思わなかった。直紀だ。自分にこんな快楽を与えているのは、自分が恋し、自分に恋している直紀だ。

「直紀、好き、好き……、もう直紀、直紀……」

　さすがに入れてとは言えなかった。その代わりに腰を揺すると、直紀は乳首を舌で嬲《なぶ》りながら、三本の指を孔に押し入れた。体が覚えている、直紀の太さだ。思わず薫は指を締めつけてしまった。

「あ、あ……い、気持ち、い……」

直紀が指を動かすと、クチュクチュという卑猥な音が立つ。直紀のもう片方の手が薫の肌を味わうように体中を撫でて、どこであろうとふれられたところからさざ波のように快楽が生じて、薫は水草のように体をくねらせた。指でいじられ続けている孔も、中も、熱くてたまらない。もっと刺激が欲しくて我慢ができなくなって、薫はんんんと喉を鳴らした。

「直紀、ね……も、直紀、欲しい……、あ、あっ、駄目っ、それ駄目っ」

直紀が欲しいと言ったのに、なぜか直紀は体をかがめると、トロトロに濡れている薫の前をべっとりと舐めた。思わず下を見てしまった薫は、こんな状況なのに瞳を和ませた直紀が、それをゆっくりと口に含むところを見てしまった。想像したこともないくらい、いやらしい眺めだ。視覚からも感じてしまい、薫はギュウゥと直紀の指を締めつけてしまった。

「駄目、直紀、あぁ……」

ねっとりと舌が絡みつき、舐め回す。強く弱く吸われたり、あるいはすぼめた唇でしごかれたり。ガクガクと腰が揺れるほどの快感だ。薫は瞬く間に上り詰め、喉が引きつるような細い悲鳴を上げて達した。直紀は薫の放ったものを残らず飲み込んでから口を離した。けれど孔を責める指は止めない。ビクビクと痙攣《けいれん》する孔が絞るように指を締めつけた。薫は気づかなかったが、直紀は、うわ、というふうに顔をしかめて口の中で呟いた。

「すご……指、折れそう……」

オメガが本気で感じるとこうなるんだと知って驚いた。これが子を産み落とせる性の凄《すご》みだと思う。薫の顔をそっと窺うと、いかにもいかされたという、とろけ切った表情を浮かべている。

「可愛いな……もう本当、可愛い……。こんな可愛い薫が俺のものになるんだ……」

そう思ったら嬉しさでブルッとふるえてしまった。直紀のそこも、ずっと張り詰め切っていて痛い。根元の膨らみがかつてないほど大きくなっていた。この雌を孕ませ、絶対に自分だけのものにするのだと、肉体が吠《ほ》えているのだと思った。

直紀は逸《はや》る気持ちを抑え込むように深呼吸をすると、快楽の余韻にひたっている薫の孔に自身を押し当てた。ぴくり、と反応した薫が、雄の理性を粉々にするような艶めかしい眼差しで言った。

「それ、欲しい……」

「ああ、すごい……」

薫は今、きちんと薫の自我を保っている。けれど体はヒートのせいだろう、孔がヒクヒクと収縮して直紀をくわえ込もうとしている。先端を愛撫されているも同然で、気を抜くといってしまいそうだ。欲しい、とまた請われた直紀は、可愛いのにいやらしい薫に誘われるまま、グチリと薫に突き入れた。

「あぁ……っ、い、い、奥まで、して、直紀……っ」

体の中で直紀の熱を感じた途端、腹の奥から寒気のような快感が湧き起こった。直紀を奥へと誘い込もうと、中がうごめいているのが自分でもわかる。ふう、と息をついた直紀がゆっくりと薫の中を押し開き、最後にクンと腰を突き上げるようにして、膨らんだ根元まで押し込む。ああ、と薫は甘い声をあげた。これでもう直紀を逃さない。締めつけてしまえば抜くことはできない。

「直紀、直紀好き……、熱い、中に、いる……直紀……」

「薫、ちょっと弛《ゆる》めてくれ」

「いや……」

「抜かないから。これだと動けない」

「僕の、中に……出す……？」

「ああ、出す」

「あ……」

その瞬間の言葉にできない快楽を体が覚えている。期待で瞳を潤ませた薫が、それなら動いてみせろというふうに、そろりと締めつけを弛めた。直紀は少し苦しそうに笑むと、薫の顔を見つめながら腰を動かした。直紀の硬さ、熱さで中全体をこすられて、たちまち薫は胸をあえがせた。

「あ、あ、直紀……い、いい、いい……っ」

「そうか」

「もっと、直紀……もっと……っ、まだ、出したら、駄目……っ」

「わかってる」

　絡みついてくる中の様子や再び立ち上がった前で、どれほど薫が感じているのかわかる。あんまり可愛くて思わず抱えていた膝に歯を立ててしまったら、その刺激で薫は達してしまった。パタタ、と薫の胸から腹に白いものが散る。直紀は動きを止めずに薫の膝を摑んで横を向かせると、今度は側位で攻め始めた。より深くまで薫の中に入れて揺さぶり、同時に、放ったばかりで力を失っている薫自身に指を絡めて直接愛撫した。薫の口からひときわ高い嬌声がこぼれる。

「直紀、直紀……っ、駄目、それ駄目っ、またいく、いっちゃうから……っ」

「うん、いきな。薫がもういらないって言うまで、ちゃんと可愛がる」

「あ、あ、あ、いく、いくいく……っ」

　体中が性感帯になっているような状態で、直接前を刺激されてはひとたまりもなかった。薫がまた放つ。ヤバい、抱き殺しそうだ、と直紀は思った。薫は射精をするが、放つものの中に精子は存在しない。孔をしとどに濡らしている粘液と同じ、感じれば粘液があふれて、際限なく放てる。側位のままなら直紀は自分の射精をコントロールできる。失神するまでいかせたい……そんな猛烈な征服欲が湧き起こった。けれど、薫の呼吸が乱れすぎている。精子はなくとも射精にかなりの体力を使うことは直紀と同じようだ。いかせ倒したい気持ちと大事にしたい気持ちが直紀の中で渦を巻いたが、当然薫を大事にしたい気持ちのほうが勝る。さらに薫の体を返してバックの体勢を取ると、薫の中を刺激しつつ直紀自身も快楽を得るように腰使いを変える。

「ああ、ああ……っ」

もだえよがる薫の背中が綺麗だった。アルファやベータの男には持ち得ない腰のくびれが、視覚から直紀を興奮させる。薫の孔からは尽きることなく粘液があふれ出て、直紀の腿まで濡らしていた。緩急をつけて薫を攻めていた直紀は、きゅっと体を縮こめた薫が、半分泣いているようなよがり声を立てて、絞るように中で締めつけてきたことで限界を迎えた。

「薫……っ」

「あ、あ、ああぁ……っ」

直紀がうなじに歯を立てた。皮膚が裂けるビリッとした痛みを感じたが、直紀が自分を独占するための痛みだと思うと喜びに体がふるえた。同時に薫の体の奥深くに直紀の獰猛な精がぶちまかれる。薫はあまりに感じすぎて、体の中が凍ったように冷えたのを感じたが、次の瞬間には骨も肉も細胞の一つ一つまで焼き尽くすような熱が爆発し、すさまじい快楽に襲われた。まるで直紀の精が体中に染み渡るような、言葉では言い表せない満足感と充足感、それに幸福感を感じる。頭の中で快楽の嵐が荒れ狂っているようになにも考えられなくなり、ただひたすら快感をむさぼった。

数秒ののち、すうっと快楽が溶けて消える。あれほど直紀を欲しがった体が、嘘のようにおとなしくなる。ああ、と小さな声をこぼして脱力すると、腰を掴んでいた直紀が気遣うように慎重に直紀自身を抜きだした。泡立った粘液に白いものが混じって滴る。直紀は自分の欲望にまた火がつきそうになったが、駄目だと自分を戒めて、背後から薫を抱きしめた。そのままベッドに体を横たえる。薫を胸に抱き込んで、呼吸が整うまで何度も髪に口づけた。

「薫、好きだ薫……、疲れたか?」

「ちょっと……。でも、嬉しい気持ちのほうが大きいよ……。直紀と恋人になれて……」

「恋人というよりも婚約者だ。慧総卒業と同時に結婚したいよ。紙切れ一枚とはいえ、薫に縛りつけられたい」

「なにそれ……」

「独占欲が行きすぎると裏返るんだ。独占されたくなる。どうすればいいんだ、薫。好きすぎてつらい」

「え……と、僕を目に入れるのも無理だし、食べちゃうのも無理だしね……。いっそのこと、つらさを味わったらどうかな？」

　直紀の胸で甘えながらも薫は真っ正直に王子らしさを炸裂《さくれつ》させる。直紀は思わず苦笑してしまった。

「薫は俺のこと、好きすぎてつらくないのか？」

「うん、つらくないよ。直紀は僕に、絶対恋することはないって思ってたから、好きって言ってもらえて、今は幸せなだけ」

「くそ、好きすぎてつらい」

　なんでこんなに可愛いんだよと思い、抱き潰す勢いで薫を抱きしめた直紀は、本気で薫を苦しい苦しいとあえがせた。


　外のフェロモンが消えた頃を見計らって寮室に戻った。サロンや通路にいた同級生たちがギョッとした目を向けてきたが、もう気にならなかった。

（僕がオメガだってことは、みんなもう知ってるんだし）

　そう思ったが、実は直紀の態度が、保護者のそれから恋人を溺愛する男のそれへと微妙な変化を見せているからだとは、薫は気づいていなかった。

　部屋に戻ると直紀が言った。

「シャワー浴びてきなよ。その間に俺は制服クリーニングに出して、下着を洗濯してくる」

「あ、僕、自分で、……」

「今すぐシャワー浴びてくれ。汗なのかな、薫からムラムラする匂いがするんだ。マズい」

「あ、ごめんっ。じゃあシャワー浴びてくるねっ」

薫は顔を赤くして慌ててバスルームに飛び込んだ。ヒトフェロモンは極めて微量だから、汗に含まれているとしても通常はアルファでさえ感知できないはずだ。もしかしたら番になると、自分の所有する雌を守るために、番固有の匂いを嗅ぎ取れるようになるのかもしれないなと思った。

「番……」

呟いて顔を赤くした薫は、全身を洗ったついでに、合わせ鏡で首筋を見てみた。

「……直紀らしい」

ふふふと笑いがこぼれてしまった。髪の生え際に、犬歯で噛み切ったという程度の噛み跡がある。聞かなくても直紀の考えていることが薫にはわかった。もっともプライベートな情報が性である以上、自分の性をオープンにするかクローズにするか、決めていいのは自分だけだ。オメガに対する偏見がこの社会に厳然として存在している以上、堂々と噛み跡をさらして、わたしはオメガですと宣伝するような真似は愚かなことだと直紀は思っているはずだ。

「それも直紀が僕を守ってくれることの、一つなんだね」

幸せそうに笑った薫だが、ふと表情を曇らせた。直紀の言葉が耳によみがえる。

『薫を守るために、慧総の王になった』

編入以来、何度も尋ねているのに、未《いま》だにはっきりとした答えをもらっていない。王とは、どういうことなのか。

（きっと言いたくないことなんだと思う。でも聞かないといけない）

バスルームを出た薫は、直紀がベッドの上に用意しておいてくれたパジャマを身につけて横になった。さっきまで直紀とああいうことをしていたから、とにかく体が疲れている。

眠い、と目をこすっていたところで、洗濯から直紀が戻ってきた。

「薫……、具合悪いのか？　それとも眠いだけ？」

「眠いだけ。疲れたから……」

「ああ……」

らしくなく直紀が耳を赤くする。ベッドの端に腰掛けた直紀が優しく髪を梳いてくれる。

その直紀を真っ直ぐに見上げて薫は尋ねた。

「直紀。僕は直紀の未来の配偶者だよね？」

「法的に配偶者にするにはな。気分的にはもう結婚してる。一生薫だけを大事にする」

「僕もだよ。それなら、隠し事はしないで」

「隠し事……?」

なんのことだ、という具合に直紀が少し眉を寄せた。薫は、はぐらかさないでという気持ちを伝えるように、直紀の手を握って言った。

「ずっと教えてくれないけど、直紀が慧総の王って、どういうことなの?」

「ああ……」

たちまち直紀が渋い表情になる。言いたくない気持ちが強烈に伝わってくるが、知らないままでいるなんてもう我慢ができない。番となった今、自分の命さえ直紀に差し出しているのだ。薫は、今日は引かないよという気持ちを込めた、強い眼差しを直紀にあてた。

「直紀。僕には知る権利がある」

「……聞いたら薫は俺を……恐れるか、蔑むか、すると思う。それでも聞きたいか? 聞いて俺を嫌悪しても、番となった今、俺から離れることはできないんだぞ?」

「直紀は言ったよね。僕を守るために王になったって。僕をすぐに慧総に呼ばなかったのは、僕を守れる環境にするためだったって」

「……」

「直紀が自分のことを怖いとか、蔑んだり嫌ったりするような人間だって思ってるなら、そうさせたのは僕だよ。だったら、僕が直紀にどんな負の感情も持つことはないよ」

「だけど薫……」

「たとえ想像以上にひどいことだったとしても、現実に僕は直紀に守ってもらってる。志青にいた時みたいなつらい思いはしてない。みんなから、自分さえ直紀に守ってもらえればそれでいいのかって言われたら、そうだよって答える。直紀は敵意のない人間に敵意は向けないって。直紀のことを暴君だと思ってるなら、そうさせてる僕のことを嫌えばいいって」

「……さすが。ど真ん中を突いてくる」

　直紀は口の中で呟いた。薫にそれを悟らせないために横柄な態度を取ってきたし、学友たちだって薫のことを、直紀に振り回されている気の弱い奴と思っていることだろう。けれど実際は、慧総の王を傅《かしず》かせているのは薫なのだ。王が愛してやまない麗しの王子。

　直紀は、今の薫ならすべてを知っても自分を受け入れてくれるだろうと思った。つらい思いをしていた志青で、他校に逃げることもしないで、一人で立っていた強い薫なのだ。

　直紀はゆっくりとうなずいて答えた。

「俺が王になれたのは、ここ、慧総学院にいるからだ。帝国大合格を唯一の目標にしている、慧総だからこそなんだ」

「よくわからないよ……」

「前に言っただろう。この特殊な環境にいるから慧総の生徒の絆は強いって。同級生だけじゃない。OBも先輩も後輩も、卒業後十年、二十年経《た》っても特別な仲間意識を持ってる」

「うん……。それが人脈っていう力を発揮するって言ってたよね」

「そう。親が政治家の奴は、いつか親の地盤を継いで政治家になる。親が会社を経営していればその会社を継ぐ。そうじゃなくても帝国大に進めば、ほとんどの奴が官僚を目指すし、民間なら一部上場の大企業に入る」

「親の跡を継ぐなら、僕もそうだったかもしれないしね」

「そう。医師だろうと法曹関係だろうと変わらないだろうな。甘利のおじさんは個人医院をやってるけど、薫の親戚は大病院を経営してるだろ。おじいさんは地元の医師会の重鎮だ。ちなみに吾田と白井はどっちも父親が政治家だ。祖父や親戚も含めれば、元総理やら元官房長官やらがいる家系」

「そうなんだ……」

　吾田が理系から文系にコース替えした理由は、ゆくゆくは親の跡を継ぐからなのだろう。以前、吾田は白井とは親の関係で知り合いだと言っていた。それはこういうことだったのだ。直紀が続ける。

「経済団体、医師会、弁護士会、各業種団体、あとは公務員と法曹関係。みんな全然違う職種だし、つながりなんてないように思えるけど、実際は深くつながっている。たとえば企業団体は、自分の所属する団体に益をもたらしてくれるよう、政治家に陳情するだろ？」

事業の許認可で政治家詣《もう》でする団体トップは多いが、その政治家を資金面で支えているのは許認可を受ける業種団体。持ちつ持たれつなのだ。選挙で勝たなければただの人になる政治家は、勝つために金を出してくれる団体を決して無下にはできない。過去、財界に上からものを言って政権を降ろされた党がある。

「そうならないために、それとなく、さりげなく、そんなつもりはないんですよって振りをして団体トップに秘密のおもてなしをするんだ。団体に根回しするための資金や、トップ自身へのお礼をする」

「……うん」

薫はリアルに想像できる。なにしろ医師会選挙がある時は、個人医院をしている父親や母親も慌ただしくしているからだ。わかる、と呟いた薫に直紀は続けた。

「それ以外にも、当然政治家自身の選挙活動に金がいる。おもてなしの代金も、選挙資金も、表の金を使うわけにはいかないだろ、法に反する。そういう、表に出せない金をどこから調達するか。そこに暴力団が関わってくる。暴力団から金を借りるんだ」

「暴力団……」

「電話一本で千万単位の金を用意できるのは暴力団しかいない。だけど直接渡すわけにはいかない。洗浄しなくちゃならないからな。じゃあ誰がその金をロンダリングしているのか」

「……」

「今ではごく少数になった、番号で顧客管理している個人銀行だ」

直紀に真っ直ぐに見つめられて、薫はドキリとした。銀行。直紀の父親は、銀行に勤めていたはず……。まさか、と思いながら直紀を見つめ返すと、直紀は軽くうなずいた。

「薫は俺の父親をメガバンクかなんかの頭取だと思ってるだろう？　でもそうじゃない。銀行を経営しているんだ」

「え、でも……」

「そう。日本では個人で銀行は経営できない。だからヨーロッパの小さな国にプライベートバンクを構えてる。当然セットでオフショアバンクもいくつかやってるよ。そこをぐるぐる回して、出所なんか関知しないいろんな金を洗っているんだ。俺の父親を含め理事は五人。いろんな国の富豪だ」

「そうだったの……」

「ああ。だけど、ただ資金洗浄してるだけじゃない。金を預ける者がいれば、受け取る者がいるだろ。でも暴力団とつながってるなんて絶対に表沙汰にはできない。そこをつなぐ奴がいる。現代のフィクサー。それが俺の父親の正体だ」

「……」

言葉が出なかった。フィクサーなんて昭和の中頃には絶滅したはずだし、今では小説の中でしか呼び名を見ることがない存在だろう。それなのに、今もまだいるというのか。しかも直紀の父親が？　呆然としていた薫だが、ピースを与えられれば組み立てるのは速い。

確認する表情で直紀に言った。

「つまり直紀のお父さんは、誰かにお金を流すことも止める……遅らせることもできるってことだね。だからみんな、直紀のお父さんの言いなりなんだね？」

「そんなわけがないよ」

直紀は苦笑した。

「俺の父親はああしろ、こうしろなんて言わない。ただ金を預かり、払い出し、手数料をもらってるだけだ。車に例えれば、内燃機関が政治、ボディが各界の団体、暴力団がガソリン。俺の父親はオイルっていう役割だな」

「んー……、車の外見もスペックも、どこへどれくらいのスピードで行くのかも関係なく、ただそこにある車を走らせるって意味だね？　どこが政権を取ろうが誰が財界や、僕の身近で言えば医師会のトップに立とうが、それ自体には興味がないっていう……」

「そのとおり。さすが薫」

　直紀はニヤリと笑った。ただしひどく皮肉な笑みだ。

「ここまでわかればあとは簡単だろう？　志青にも慧総にも、政治家や企業上層部に父親、祖父、親戚を持つ奴らは多い」

「……うん。みんなのお父さんやおじいさん、親戚は、直紀のお父さんを敵に回せないってことでしょう？　お金が回ってこないから」

「そう。で、裏金を必要とする親を持つ奴らは、将来の夢が明確だ。親の跡を継ぐ。帝国大に進みたいから慧総に入った奴らだって、目指すところは同じだろ。どんな組織にしろ、トップに立ちたいはずだ」

　彼らが努力の末に思い描いた職業に就いた時、直紀もまた同じ位置にいる。彼らが相当な地位に昇り、会社や組織、あるいは自分のために大金で物事を動かそうと思ったら、当然直紀を頼り、力添えをしてもらわなくてはならなくなるということだ。薫は理解してうなずいた。

「僕が初めてヒートした時、白井がね、僕になにかしたら直紀と白井でみんなの将来を潰すって言ったんだ。白井は直紀と同じことを考えていたんだね」

「白井はものすごくクレバーだよ。ただ冷酷なんだよな。政治家には向いてると思うけど」

「ああ……、うん」

「話を戻すと、みんな将来のことを抜きにしても、慧総をやめることになるのは怖いだろ。だから俺を怒らせないようにしてるんだ」

「直紀を怒らせたら慧総から退学させられるっていうの？　どうして？」

「学院長があからさまに俺におべっか使ってるだろう。俺も学院長と個人的に話し合い持ったりしてるし」

「成績がいいからじゃないの？」

「呑気だなぁ、薫は」

　直紀は微笑した。本当にこういう、汚いこと、世間の裏側を知らない薫がとても大事だと思う。それは世間知らずとは違う。善良であれという環境で大切に育てられてきたゆえだ。直紀はこれからも薫を、自分にできる限り、雪のように清廉な環境に置くと決めている。金がものを言う汚い世界に進むと決めた自分にとって、どこまでも清らかな薫は精神の支えになる。薫のそばにいれば、いつだって自分は正義のヒーローでいられる……そんな気がするのだ。

　直紀はそっと薫の頬を撫でて答えた。

「学院を開設する時、俺の曾祖父がかなり出資してるんだよ。祖父がここの一期生。財閥解体を見越しての、今の月隠の地盤作りのためだな」

「えっ、じゃあ直紀の家は代々慧総の理事なの!?」

「いや、月隠の名前は表に出したくないから金だけ出してる。月隠から誰かが入学すれば寄付金は倍増するから、学院長も理事たちも月隠の人間の機嫌を損ねたくないんだ。それで俺に追従してる。俺が誰それをやめさせたいと言えば退学させるくらいにね」

　直紀はフンと鼻で笑った。卑劣な自分を嗤《わら》ったのだということを、薫はよくわかっている。ギュッと直紀の手を握りしめて薫は言った。

「学院長ってすごくダンディに見えたけど、お金のことしか考えてないなんて、ものすごくイノセントなんだね。僕なら怖くてあからさまに直紀をえこひいきできないよ」

「俺も最初はそう思ったけど、今は考えが変わったな。物事は単純に受け止めたほうが、いざって時に自分に食らうダメージは少ない。なんて浅はかなんだって嘲笑われるほうが、隠蔽《いんぺい》工作して悪質だと判断されるより、社会的には許されやすいだろ」

　直紀は薫が見たことのない、大人びた表情でそう言った。それを見た薫は、そうだったのか、と理解した。露悪的な直紀の態度に、ずっと違和感を覚えていた。けれどそれは、最も確実に薫を守るために必要な態度だったのだ。

（志青の学館祭に来たあの時、僕を守るって言ってくれた直紀は、まだたった十四歳だったのに……）

　目先の数年だけではなく、この先の何十年も薫に安全を与えたいならどうすればいいのか。ひたすら考えて、おそらくは直紀の父親にも意見を聞いただろう。そして中学生なら知らなくていいこと……直紀の父親が本当はどんな仕事をしているのか、それが社会にどういった影響を与えているのか、たくさん聞いたに違いない。正義感にあふれ、薫だけではなくみんなのヒーローだった直紀にはショックだったはずだ。

（それでも直紀はすべてを飲み込んで、逆手にとって、学生時代だけじゃなく、この先の何十年も……、ううん、生涯、僕を守るために……）

慧総の王となった。

直紀の覚悟を今度こそしっかりと理解した薫の胸が、ギュッと痛んだ。自分のためにそこまでさせて、申し訳ないという気持ちからではない。直紀は自分の意思で王国を作り上げた。薫に安全と安心を与える……それは直紀にとって、たぶん愛情とイコールで結ばれている。だからこそ胸が痛んだ。嬉しいとか幸せとか、単純な言葉では言い表せない。胸が痛むほど直紀のことが大事で誰よりもなによりも直紀が好きで、そんな直紀から愛されているという、これはたぶん、実感の痛みだ。

薫は微笑を浮かべて言った。

「あのね、直紀」

「うん？」

「いつかきっと、直紀は汚い奴だとか卑怯《ひきょう》者だとか人でなしだとか、誹《そし》られると思うんだ。自分から直紀を利用したくせに、人生が狂ってしまったような人たちから」

「うん」

「でも、直紀は僕のために人でなしになろうと思ってくれたでしょう。だったら、直紀に投げられる言葉は僕へ向けてのものだと思う。直紀をそうさせたのは、僕だからね。だから直紀は誰になにを言われても気にしなくていいんだよ。僕も気にしないから大丈夫」

「薫……？」

「ヒートしてる時の本能むき出しの僕も、今こうやって直紀と話してる理性のある僕も、直紀のことが欲しかったんだ。僕が知る中で誰よりも強くて、誰よりも優秀で。直紀は僕のたった一人のヒーローだよ。これまでも、これからも」

「……そうか……」

　直紀の声がわずかにふるえた。薫はほほ笑んでこっくりとうなずき、目を閉じた。きっと直紀は泣き顔を見られたくないだろうと思った。直紀が涙をこらえて息を詰める気配を感じながら、薫は満ち足りた気持ちで眠りに落ちた。

　……幸せな夢を見た。

　小学四年生の春だった。午前中で授業が終わる土曜日は、弁当を食べてから下校となる。以前から都営公園に寄り道をする計画を立てていた二人は、学校近くのバス停に向かった。しかし二人とも、実はバスに乗ったことがない。薫はオロオロしていたが、直紀はバスがやってくるとハキハキと、これは公園に行きますか、どうやって乗ればいいんですかなど、運転手や周囲の乗客に聞いて、無事に公園に行くバスに乗ることができた。薫は無邪気にすごいなぁと感心し、直紀は停留所のアナウンスを聞き逃すまいと少し緊張しながらバスに揺られた。小学生の足だと、学校から三十分はかかるだろう公園は、バスを使ったらほんの十分ほどで到着した。

「勇気出してバスに乗ってよかったねっ」

公園の門を抜けながら薫がホッとして言うと、うん、と直紀もうなずいた。

「乗り方わかったし、路線図あれば、もうどこでも行けるよっ。それで、どこにいるんだって？」

「あっち、高速道路の下あたり」

大名屋敷の跡地をそのまま公園にしたので、園内の隅には山水庭園が残されていて、当時の面影を偲《しの》ばせる。築山や池の間を縫う園路を足早に進み、園の東の隅に来た。池に流れ込む細い小川の上に、木製の小さな橋が架かっている。その上で足を止めて薫は小川をのぞき込んだ。

「ほら、いるいるっ」

小川の中でオタマジャクシが何匹も泳いでいた。すげぇ、と直紀も目を輝かせる。飼育ケースではなく、人工とはいえ自然の中で生きているオタマジャクシを見るのは初めてだ。

直紀は小川を上流するように視線を上げていくと、うん、とうなずいた。

「あのでかい岩の向こうで取れそう。たぶん、産卵もあっちでしてるよ。ここは掃除されてて卵を産みつけられるものがないからな」

「え、でも……」

薫はためらった。園路の両脇には半円形の立ち入り防止柵が立てられている。入ったら駄目なんだよ、と薫が言うと、直紀はゆっくりとあたりを見回して、大丈夫だ、と言った。

「今なら誰もいない。薫はここで待ってろ。誰か来たらさりげなく逃げるんだ」

「そんなことできないよ、やっぱり取らないで見るだけにしよう?」

「大丈夫だって。いいか、誰か来たら散歩してる感じで逃げるんだぞ?」

「直紀……」

直紀はもう一度あたりを見回して人がいないことを確かめると、さっと柵をまたぎ越して、山を模した大岩の後ろに回っていった。

「大丈夫かな……、やっぱり僕も行く……っ」

オタマジャクシが欲しいのは自分なのだから、直紀にだけルール違反をさせるのは卑怯だ。そう思った薫はドキドキしながら柵を越えて岩の向こうへ回った。

「直紀っ」

「薫?　あっちで待ってろって言っただろ?」

「僕が頼んだんだから、僕もここにいる」

「誰かに見つかったら……、まあいいか」

その時は自分だけが怒られるように言い訳をしようと直紀は思い、薫に足下を指さした。

「ほら薫、すごいぞっ」

「え？　……うわぁっ」

水源というか、色気のないビニル管から水が流れ落ちていて、それが小さな溜まり池を作っている。溜まり池の水が小川へつながっているのだ。その溜まり池の木漏れ日の下に、オタマジャクシが大量に群れて泳いでいた。

「すごいね、直紀っ」

「うん。一匹じゃ可哀想《かわいそう》だから、二匹連れていこうか」

「そうだねっ。僕と直紀っ」

「よし。ちょっと待ってろなっ」

直紀はランドセルと手提げ鞄《かばん》をその場に置くと、手提げ鞄から水筒を取り出した。本体に半分ほど水を入れると、それを片手に溜まり池の縁に膝をついた。オタマジャクシの群れの中にそっと手を入れる。一瞬、サッと群れは崩れたが、直紀がじっとしていると再び集まって群れた。すごい、と薫は目を輝かせた。なんだか直紀が自分の手の周りにオタマジャクシを集めているように見える。キラキラ光る水面と真剣な直紀の表情。水と緑の匂い、葉擦れの音。まるで直紀が、ＲＰＧで貴重なアイテムを手に入れようとしている勇者のようだと思った。

固唾《かたず》を呑んで薫が見守っていると、少しして直紀が池に入れていた手をサッと引き上げた。手は緩く握られている。オタマジャクシを捕まえたのだと察した薫が、慌てて受け皿のように両手を広げると、その上で直紀がゆっくりと握っていた手を開いた。手のひらに小さなオタマジャクシが二匹載っていた。

「わあっ、すごい直紀っ。本当に取れるなんて、手で取れるなんて、すごいすごいっ」

「これぐらい簡単だよっ」

手放しで薫から賞賛された直紀が、はじけるような笑顔を見せた。かっこいいなぁと薫は思った。直紀は僕のヒーローだと思った。

水筒にオタマジャクシを入れて意気揚々と岩陰から出たところで、公園職員に見つかって大目玉を食らった。涙ぐむ薫を背後に隠した直紀は、オタマジャクシのオの字も出さずにひたすら謝った。薫のためなら嘘は言わないが本当のことも言わない。強さと怖さを持ったまま成長した直紀。誰かにとっては悪ガキで、誰かにとっては傲慢な男。そうさせたのは薫だ。そして、そこまでしてしまう直紀に薫は満足している。

（正義感も冷徹さも僕のためなら……僕は全部を受け止めるよ。直紀は僕だけのヒーローだ……オタマジャクシを取ってくれたあの日から、ずっと）

薫は眠りながら笑みを浮かべた。再び直紀と肩を並べることができた気がした。

冬休みに入って四日目、今日はクリスマスイブだ。実家での盛大なクリスマスパーティを回避するために、薫は二十六日に帰ることにしているし、当然直紀もそれに合わせている。

昼食を取りに食堂に向かいながら、薫は前を歩く生徒たちを見て言った。

「結構残ってる人、多いんだね」

「帰っても両親が家にいない奴や、帰ってくるなと言われてる奴もいるし」

「え、本当?」

「クリスマスパーティや忘年会で、連日数ヶ所はしごしないとならない職業とかあるんだよ。あと、ちょっと複雑な家庭環境とかさ」

「そうか……。だから食堂やコンビニ、図書館は、夏休みも冬休みもずっとやってるんだね。食堂前にはクリスマスツリーがあるし、寮のサロンもクリスマスの飾りつけがしてあるし、学院が家の代わりになってるんだね」

「可哀想だと思うか?」

「んー……」

　薫は言葉を選んで答えた。

「前の僕だったら可哀想だと思ったと思うよ。でも今は思わない」

「ふうん？」

「僕は両親や直紀にすごく大切にされて、白井や吾田くんにもそれとなく守ってもらって、なんていうか、深窓の令嬢っぽく今まで来ちゃったでしょ？」

「薫はそれでいいんだよ。そういうところで俺は救われてるし」

「まあフォローが僕の身上だって白井に言われたこともあるしね」

　薫は微苦笑した。

「だから僕はきっとずっとぼんやりしてると思うけど、でもみんなはそうじゃないんだなって。慧総に入るって決めた時点で、自分の置かれた環境を理解してたはずだし、そこから抜け出す、あるいは跳ね返すために慧総に行くことを選んだんだと思うし、僕なんかに可哀想と思われるほど弱くないと思うんだ」

「……だな」

「そういうみんなも、いつかリスクを踏まえた上で直紀を利用しようとするかもしれないでしょう？　僕がみんなの立場だったら、せいぜい直紀の機嫌を取っておこうって思うもの」

「正しい認識だ。けど、なんかなー」

「なに？」

「薫がそんなこと言うなんてさ。俺が薫を汚したんだよな、くそ、自分にいらつく」

「変なこと言わないでよ」

思わず薫は苦笑してしまった。

「僕は汚れてないよ。世間のことを少し知っただけ」

「知らなくてもいいことだろ。もう俺失敗した。薫の前ではホワイトな俺だけ見せとくべきだったんだ。俺まだ、考え、浅いよな」

「もしそうしてても、僕は違和感に気づいたと思うよ。遅かれ早かれ直紀とはぶつかってたと思うから、これからは僕に隠し事をしたら駄目だからね」

「ああ。もう隠すことはない」

そう言って、直紀は晴れやかに笑った。

食堂の近くまで来ると、出入り口前に植えてある巨大なトウヒを飾りつけたクリスマスツリーが出迎えてくれる。木が大きすぎて学院の職員では飾りつけできないため、業者に頼んでいる。そのおかげで商業施設にあるツリーのように、洒落《しゃれ》た飾りつけになっている。

綺麗だね、と言ってツリーの前で薫が言うと、ストップ、と直紀が言った。

「なに？」

「靴紐《ひも》ほどけてる」

「ホント?」

薫が足下に目をやろうとした時には、すでに直紀が地面に片膝をついて紐を締め直していた。昔のことが頭によみがえり、薫はふふふと笑った。小学校の入学式の日だ。両親が、入学式なのだからと薫に紐靴を履かせた。学校に着いて脱ぐことはできたが、帰りにはどうやって靴紐を結べばいいのかわからなくて昇降口に座り込んで悪戦苦闘した。みんなが次々にサッとローファーを履いて帰っていく中、靴も履けない自分が恥ずかしくて涙ぐんでしまった時、直紀がやってきた。新入生代表を務めたので、職員室に呼ばれていて帰りが遅れたのだ。直紀は当たり前のように薫の足下に膝を突くと、テキパキと紐を締め、綺麗なリボン結びにしてくれた。

(あの時、直紀に対して初めて胸がキュンとしたんだよね)

初恋のほんの小さな芽生えだったのだと思う。そんなことを思いだしていると、よし、と直紀が言った。

「きつくないか?」

「うん、ちょうどいい。ありがとう」

立ち上がりの補助をしようと手を差し伸べた薫に、なぜか直紀がふっと微笑を見せた。ひざまずいたまま薫の手を取ると、なんと指先にキスをしたのだ。ちょっと目を見開く薫に、深く笑んで直紀は言った。

「俺と結婚してください」

「ごめん、プリンセスアニメみたいで笑っちゃう」

　薫はクスクス笑いながら直紀の手を握り、引っ張り上げた。

「やってみたかったの？」

「ああ。シチュエーションに萌《も》えた」

「は？」

「薫を下から見上げることってなかっただろ？　見下ろされてズキンときたんだ」

「意味わかんないんだけど……」

「んー……愛を請うって気分かな。薫の愛を俺だけのものにしたいっていうか……俺だけを愛してほしいって願う気持ちになった」

「そ、そうなんだ……」

　恥ずかしいことを恥ずかしげもなく堂々と言う直紀だ。薫のほうが羞恥を感じて頬を染めると、直紀はふふふと笑った。

「なんとなく西洋人が、ああいう格好でプロポーズする理由がわかるよ」

「うん？」

「断られたらその場で簡単に抱き上げられるだろ。そのまま家に連れ込んでモノにしちゃえる」

「それは野蛮すぎるよ」

「実際に膝ついてプロポーズしたらそういう気持ちがわかるって。好きな相手に見下ろされると、相手の愛情で支配されたいと思う。それが無理なら自分が支配する。まあ動物の雄、そのものの感情だよな」

「信じていいのかなぁ」

直紀の独断としか思えなくて、薫は苦笑して言った。

「ともかく周りに人がいなくてよかったよ。見られたらあれこれ言われるだろうし」

「慧総の帝王が王子に服従したって噂になるかもな。そのほうがいいんじゃないか？　薫に変なことしたり言ったりする奴がいなくなる」

「無理。とにかく目立ちたくないの、僕は」

「なにを今さら」

直紀がぷっと笑うので、それはそうだけどと思いながら食堂に入った。

昼食を終えてからは部屋でのんびりと過ごす。リビングスペースの長ソファに座って読書だ。直紀は脚の上にクッションを置き、さらにその上に膝上テーブルを置いて、片手でページが繰れて読める態勢にして、薫の肩を抱いている。そうまでして自分を抱いていたいのかと思うと、薫は直紀が可愛くてたまらなくなる。薫はふっと微笑して言った。

「うちでも直紀の家でもいいけど、こうやってシアターで映画見たいね」

「実家帰る途中でブルーレイ借りていこうか。泣けるラブロマンス」

「えー……。ジョルジュ・オーリクかニーノ・ロータが音つけてる昔の映画がいいな」

「その中でもロマンチックなやつな。サイコホラーとかはいやだ」

きっぱりと直紀は言った。薫と二人でどっぷりと甘い雰囲気にひたりたいのだろう。これで結婚したらどうなっちゃうんだろうと苦笑したところで、寮内放送が入った。薫に電話が入っているので、事務室に来るようにと言うことだ。薫はそっと直紀の腕を外してソファを立った。

「たぶんお母さんだと思うよ。明日帰るんでしょって」

「クリスマスパーティか」

直紀が顔を伏せて苦笑した。薫はため息をついて部屋を出た。

部屋のある翼からサロンの前を通って事務室のある翼へ行く。電話は母親からで、思ったとおり明日のパーティのことだった。グズグズ言う母親に、前々から、もうパーティをする歳ではないこと、だからクリスマスには帰らないことは伝えていたはず、明日のパーティは社交場にしてほしいと言って電話を切った。

「これで僕が二十歳になったら、社交場という名のクリスマスパーティに引っ張り出されそう。なにか考えなくちゃ……」

ため息をこぼして部屋に戻る途中、サロンの前を通りかかった時に、声をかけられた。

「薫姫。ナイトを連れていないとはどうしたことだ」

「吾田くん」

今日も吾田は悪徳保安官のようにテーブルに足を乗せてパソコンを見ている。薫は微苦笑をして尋ねた。

「なに、王子じゃなくて姫呼びが今の流行なの？」

「エドモンド・レイトン」

「……っ」

薫の顔がたちまち赤く染まる。吾田が、さすが姫君、通じたかと言って笑うと、薫は動揺して、見てたの、と言ってしまった。吾田はニヤリと笑って答えた。

「俺はその場にいなかったよ。ただ、見てた奴がいる。姫君のファンなのか直紀の信者なのかはわからないけどね。休みに入って生徒が減ったからって、気を抜かないほうがいいよ」

「わかった、ありがとう……っ」

薫は真っ赤な顔を伏せてそそくさとその場を離れた。

「あれを見られてたなんて……っ」

恥ずかしくて穴にでも入ってしまいたい気分だ。大半の生徒が帰省しているとはいえ、吾田に言われたとおり、外でうかつなことをするものではないと反省した。

休みの間は食事と散歩以外はほとんど部屋から出ない。勉強の合間に休憩でいちゃつくことはあるが、まったく喋らないことも多い。それでも気まずくならないのは、幼い頃から兄弟同然に育ったからだ。そばにいようが離れていようが、喋ろうが黙っていようが、心の距離は常に同一で、深い意味で互いを嫌うことはないとわかっている。ただ、だからこそ、ほんの些細な違和感にも気づいてしまう。そしてそれはたぶん、より愛しているほうではなく、より相手を独占したいと思っているほうが。


薫としては笑ってしまうプロポーズごっこをされた翌日、二十五日だ。

日本のクリスマスの定番、鶏もも肉の骨つきローストがメインの夕食を終えて、いつものように直紀がデザートを運んできた。皿をテーブルに置くついでに薫の髪に口づけようとした直紀だが、まったく自然に居住まいを正すといったふうに薫がすっと体を倒したので、キスは空振りに終わった。やっぱり、と直紀は思う。

（昨日、夕食を取りに出た時から、一歩、部屋を出るとプライベートスペースに俺を入れない）

これまで一度もこんなことはなかった。たとえば薫と喧嘩をした時は、あからさまにプンと顔を背けたりはあるが、こんなふうに他人のような距離を取られたことなどない。

（またなんか誰かから言われたか……？）

だとしても、今の薫なら昔のように王子スマイルで聞き流せるはずだ。月隠直紀という男は自分のものだと、薫ははっきりと理解しているし実感もしている。誰になにを言われようとも不安を抱えることはないはずだ。それならなんだ、と直紀は内心で顔をしかめた。

食後のお茶までしっかりと楽しんでから、寮へ向かう。薫はやはりただの友人という距離を取ってくる。直紀はムッと眉を寄せると、部屋に入りざま、

「……薫」

「なに、……なに？」

薫に、いわゆる壁ドンをした。

薫は至近距離から見下ろされて、たあいなくドキドキしてしまった。今までは壁ドンのなにがいいのか理解できなかったが、実際に体験してみると、どうしようもなく胸がキュンとするのだ。抱きしめて、キスをして、と、言葉にするかわりに眼差しでねだってしまう。薫はそっと深呼吸をすると、頬を染めて尋ねた。

「なに……？　どうしたの……？」

「薫。俺になに隠してる？」

直紀の答えも、声の調子も、薫の予想を裏切るもので、少しも甘くない。薫は今さらとまどって、上目遣いで直紀を見た。

「隠すって……。隠し事なんかしてないよ……？」

「嘘をつけ。それならなんで俺と距離を取るんだ」

「そんな、言われるほど離れてなんか……」

「薫は俺の伴侶だ。番だ。隠し事をしたっていいことはないぞ」

「だ……から……、隠し事なんて、してないよ……」

　答えた薫の頬がさらに色濃く染まった。正直に言えるわけがない。ふざけていたとはいえ、プロポーズされた場面を目撃されていたなんて、恥ずかしすぎる。人からからかわれても直紀なら鼻で笑って流せるだろうが、薫は極私的なことを他人に知られたくない性質だ。あんなシーンをネタにからかわれるのは本当にいやなのだ。それに直紀なら、廊下や外の通路や、あるいは校舎内で、うっかりと薫の肩を抱いてきそうで、それも怖くてあまり近くには立たないようにしていたのだった。薫はちらりと上目遣いで直紀を見た。

「本当にね、隠し事なんて、してないから……」

「……」

　薫のその表情は直紀にいともたやすく火をつける。いかにも、キスして、と言っているような顔なのだ。体勢が体勢だし、直紀自身、気づいた時には無意識に薫に口づけていた。

　薫は驚いてちょっと目を見開いたが、身内からふるえのように幸福感が広がって、ああすごい、と思った。ヒートしていない状態なのに、たったキス一つで快感にも似た感覚が体を走ったのだ。互いに互いを愛している、愛し合っていると、体ではなく精神にここまで甘やかな作用を及ぼすのだ。

下唇を軽く吸われただけなのに、薫の目はたやすく潤んでしまった。唇を離した直紀は、ふっと微笑すると囁き声で言った。

「薫。なにを隠してる？」

「だから、なんにも隠して……」

言い終える前にまたキスをされた。

直紀が隠し事はと尋ね、なにも隠していないと薫が答え、キスをする。何度もそんなことを繰り返し、繰り返すごとに口づけは深いものになっていく。とうとうたっぷりと舌を吸われた薫は、このままでは心からあふれた甘い気持ちが体に変化をもたらしてしまうと察して、唇を離した直紀を、まるきり誘うような眼差しで睨んだ。

「こういうのは、いやだよ、直紀……」

「こういうのって……？」

「尋問に、キスを使わないで……」

「尋問なんかしてないよ。ただの質問だ。キスはまぁ、間近に薫の可愛い唇があったらしちゃうだろう？」

「知らないよ……。とにかく、尋問……質問しながらのキスはやめて。こういうキスはいやだ」

「……ごめん」

直紀は微笑を浮かべると、軽く薫の額に唇を押し当てた。薫を壁に追い詰めたまま、言う。

「隠し事って聞き方がいけないんだな。言い方変える。なんで部屋から出るとよそよそしくなるんだ?」

「よそよそしくしてないよ。親友として、適正な距離を取っただけでしょう?」

「だから、親友としての距離を取るって、それはなんでなんだよ? 昼までくっついて歩いても平気だったろ? いかにも番って感じでかなり嬉しかったのに、いきなりこれでさ……なにかあったかと思うじゃないか」

「あ、そうか。ごめんね」

しまった、と薫は思った。こんなことくらいで不機嫌になる直紀が若干重いと思ったが、直紀にしてみれば、わけもわからず恋人から素っ気ない態度を取られているのだ。不安だし不快にもなるだろう。直紀はあまり人の気持ちを考えないと思っていたが、自分は人の気持ちは考えるが直紀の気持ちはあまり考えないことに気づいた。

(あれだね、言わなくてもわかるでしょっていう)

幼なじみで兄弟同然ということにあぐらをかいていた。薫がどういったことを恥ずかしいと思うかなんて、いくら直紀でも全部を察することはできないのだ。薫は、ごめん、と微苦笑して直紀に言った。

「お昼のね、あれ、見られてたんだ。サロンのところで吾田くんに姫君って言われてね。姫呼びが今の流行なのって聞いたら、エドモンド・レイトンって言われたわけ」

「……ああ、『騎士号授与』か」

聞いた直紀も苦笑した。エドモンド・レイトンという画家は知らなくても、『騎士号授与』を見ればたいていの人が知っているだろう有名な絵画だ。姫君の前にひざまずく騎士の画《え》。なるほどな、とうなずいた直紀は、ひょいと薫を抱き上げてソファに運んだ。

「王が騎士となりひざまずく。象徴的だな。それに薫はビクトリア朝がハマる。なにもかもが甘美だもんな」

「変な方向に振ったねぇ」

ソファに下ろされていつものように肩を抱かれた薫は、少し呆れたふうに微苦笑をしたあと、思案顔で言った。

「でもさぁ、吾田くんは実際に僕たちのあれを見ていないでしょう？　なのにどうして『騎士号授与』なんて持ち出してきたんだろうね。まるで見てたみたいじゃない？」

「写真で見たんだろう」

「……写真？　えっ、あれ、写真に撮られてるの!?」

「撮られてるどころか、全校生徒にさらされてるはずだよ」

「どういうこと⁉」

全校生徒にさらされていると言われて、薫は一気に赤面した。ところが直紀は大したことではないというふうに、なんとも軽くうなずくのだ。

「学院の裏サイトがあるんだよ。学年ごとの掲示板やクラスごとのチャットがある。あと人気者や有名人のファンスレとか」

「……当然、帝王スレがあるんだね……？」

「ああ。薫が慧総に来た日、俺の動向が全部飛鳥に筒抜けになってただろ？　あれはスレに俺のことがライブで書き込まれてたからだよ」

「うわぁ……僕なら耐えられない……」

薫は真顔で首を振った。実は薫が慧総に編入してきた当日に、すでに薫スレッドが立てられているのだが、詮索されることが大嫌いな薫のために、絶対に薫の耳に入れるなと直紀が箝口令《かんこうれい》を敷いていたのだった。直紀は気持ちを和らげさせようと、薫の髪を優しく撫でながら言った。

「おそらく俺のスレに上げられたんだろうな。俺が薫にプロポーズしてる時の写真。帝王がひざまずいて薫の僕《しもべ》に成り下がってる写真だからな。どれほど言葉を連ねるより威力はあるだろうから、勝手に薫の写真を上げた奴の罪は不問とするか」

「あんまり怖いこと言わないでよ……」

直紀からはちょくちょく暴君っぽい言葉が出るので、薫はそのたびにため息をこぼしてしまう。もうちょっと大人になれば、独占欲もうまく隠せるようになるんだろうかと思う

薫は、そこではたと気づいた。慧総はスマホの持ち込み禁止だし、ノートパソコンだってネットにつなぐことはできない。かろうじてサロンにあるパソコンが外部のネットにつながっているが、どこにアクセスしたかなどはすべて学院のセキュリティ担当者がチェックしているはずだ。直紀がそう教えてくれたのだ。それなのに学院の裏サイトなんて作れないはずだ。薫がそれを尋ねると、直紀は当たり前の顔で教えてくれた。

「仮想環境にパソコン構築して、そこでいろいろ遊んでるんだ。サーバーへの出入りだけ見てる学院の担当者にはわかりっこないよ。こういうことで男子高校生がどれほどの能力を発揮するか、学院の連中は舐めてるよな」

「んー、それはそうかもね。教師を欺く、出し抜く、裏を掻《か》くことに、なんでか男子は血道を上げるよね」

「薫はやらないけどな。そういうところが王子で可愛いんだよ、おっとりのんびりしてて善良で、もうさ、本当に薫、可愛い。可愛い、大好き。早く結婚したい。薫、薫、好きだよ……」

「直紀、ん……」

これまた男子高校生らしく、突如ムラムラしたらしい直紀の口づけを受けた。優しいけれど力強い腕に抱かれ、尋問ではなく可愛いと言われてのキス。その口づけも、薫には絶対に乱暴なことはしないと誓っているように、唇を何度もそっと甘く吸ってくるものだ。いくつｉｆを立てても意味はないけれど、もしも薫がオメガでなく、もしも直紀が帝王などではなかったら、きっと自分たちは最初から、こういう甘やかな口づけを交わしていたことだろう。

（ああ……僕の欲しかったキス……）

差別やいろいろな思惑、しがらみとは関係なく、性差ですら無意味だと断言できるくらいに、ひたすら互いのことだけが好きで大事で愛している……昔から薫が直紀に、直紀が薫に対して持っていた純粋な気持ちの中で交わす、これがそのキスだ。ずっとずっとこれが欲しかった。

「直紀……僕も直紀が好き……」

「知ってる。でも何回言われてもいい気分だ」

「直紀……、キスして……、もっとキス、して……」

「欲しいだけ、キスするよ」

ほほ笑んで答えた直紀も、あらゆる損得や権力においての上下関係など意味のない、純粋なあの頃の自分たちに戻ってもいいのだと気づいたらしい。眼差しも口調も笑みも、ただの幼なじみの直紀のものだ。

　薫は直紀の首に腕を回してふんわりと抱きつくと、ふふふ、と笑った。

「ヒートしてないのに、直紀とキスしたくて、抱きしめてほしくて、こうしてくっついていたくて……不思議だね」

「そうか？　ふつうのことだろう？」

「そういう意味じゃないんだ。ヒートしてた時はこういうこと……汚いことだと思っていたから」

「すれ違いがあったとはいえ、俺にすらそんな気持ちを持つんだもんな……。あの時の相手が俺でよかったと、つくづく思う」

「……うん。本当にそうだね」

　最初の時、直紀に恋をしているからこそ、気持ちのない行為に傷ついた。けれど直紀だったから、傷つくなんて生やさしいことですんだのだ。あの時の相手が名前も知らない、ただの性欲にまみれた生徒だったら、薫はきっと狂っていた。狂って、甘利薫という人間を捨てて、肉の快楽を最優先にするオメガの女王となっていたはずだ。本能のままに若い雄を喰い散らかして彼らの将来をことごとく潰したであろう、最悪の淫婦。

「……きっと、そうなってたと思うんだ」

　薫は自分自身に確認するようにゆっくりと言った。同意するように抱き寄せてくれる直紀の喉元に唇を押し当てた。キスをしようと思ったわけではなく、無意識にそうしていた。数多の恋人たちが特に意識するわけでもなくスキンシップを取ろうとする。薫もそうしたまでだ。みんなにとって当たり前のことも、あれほど傷つけ合い、血を流し、うんざりするほど遠回りをしてここにたどり着いた自分たちにとっては、大変貴重なことだ。それをよくわかっている直紀は、軽々と薫を抱き上げると寝室に運んだ。

「俺が薫を抱いてるから、薫はカーテン閉めて」

「なにそれ、効率悪いなぁ」

そう言いつつも、薫はクスクス笑って言われたとおりにカーテンを閉めていった。

あとがきに代えて

本作の後半部分は遺稿としてご遺族様よりお預かりしました。そのため当該原稿につきましては編集部判断で文字修正などをした箇所がありますことをご了承ください。

また、本作はプロット上では最後に未来の二人が描かれる予定でした。

＊　＊　＊　＊　＊　＊　＊　＊　＊　＊　＊　＊　＊　＊　＊

……あとはラブラブのまま老いていくだけなんですが、大卒後の大人になった二人で、つまり薫はちゃんとお医者になって、直紀の庇護下だけども働いているという、そんな感じで締める……とか？

＊　＊　＊　＊　＊　＊　＊　＊　＊　＊　＊　＊　＊　＊　＊

完成に近い状態で手元に残されていたのは、最後まで書き上げてから編集部に渡したいという著者らしい矜持のあらわれのような気がしてなりません。
描ききれなかったラストシーンは、皆様の心の中でご想像いただければと思います。

長きにわたりご執筆いただいた花川戸先生に敬意を表するとともに、発行にお力添えいただいたご遺族様、ご友人、関係者の皆様、高峰顕先生に深く感謝いたします。

シャレード編集部

花川戸菖蒲先生、高峰顕先生へのお便り、
本作品に関するご意見、ご感想などは
〒101-8405
東京都千代田区神田三崎町2-18-11
二見書房　シャレード文庫
「学院の帝王」係まで。

本作品は書き下ろしです

CHARADE BUNKO

学院《がくいん》の帝王《あるふぁ》

2021年 7 月20日　初版発行

【著者】花川戸《はなかわど》菖蒲《あやめ》

【発行所】株式会社二見書房
東京都千代田区神田三崎町2-18-11
電話　03(3515)2311［営業］
　　　03(3515)2314［編集］
振替　00170-4-2639
【印刷】株式会社 堀内印刷所
【製本】株式会社 村上製本所

落丁・乱丁本はお取り替えいたします。
定価は、カバーに表示してあります。

ISBN978-4-576-21102-2

https://charade.futami.co.jp/